애비시니어 왕자
래설러스 이야기

애비시니어 왕자, 래설러스 이야기

The History of Rasselas, Prince of Abissinia

새뮤얼 존슨 지음

구학서 옮김

도서출판 동인

차례

역자 서문

존슨이라는 이름으로 알려진 저명인 중에는 새뮤얼 존슨(Samuel Johnson: 1709-1784)이라는 이도 있었는데, 그는 시인, 비평가, 에세이 작가, 사전편찬가로 18세기 후반 런던의 문화계에 군림하였을 뿐만 아니라 당대 가장 영향력 있는 클럽인이었다. 고향 리치필드를 떠나 런던에서 백면서생으로 잡문을 써가며 호구한지 십여 년 뒤 「인간소망의 허무」라는 장편시를 써서 당시의 문단에 이름을 떨치기는 했지만 그는 여전히 가난한 문필가 신세를 면치 못했다. 그의 나이 50이 되어 고향에 남은 모친이 타계하자 황망한 나머지 장례비용을 마련하기 위하여 한 주간의 밤 사이에 한 편의 픽션을 썼는데 그것이 『애비시니어 왕자 래설러스 이야기』이다. 존슨 자신은 그것을 겸손하게 "나의 자그만 이야기 책"이라고 했지만, 후세의 여러 학자들은 그것을 "철학적인 대화," "영혼의 자서전" 또는 "그 걸작" 등등으로 부른다.

역자는 삼십 여 년 전에 처음 이 작품을 대하고 적이 인상적이었기에, 같이 읽은 이들이 있는 자리에서 한국어로 옮길 수 있는 기회가 있으면 한다는 포부를 토로한 적이 있었다. 그래서 십여 년 전에 한가한 시간을 얻어 번역해 보았지만 세상에 내놓을 수 있는 기회를 얻지 못하던 차에 요행히도 이번 동인에서 어려운 일을 맡아 주어 빛을 보게 되어 마음의 빛을 다소나마 덜게 되었다. 이 소식을 멀리 외국에서 전해들은 한 친구는 서한을 보내어, 존슨의 "영혼이 세상에 알려져 많은 사람이 읽어 즐기고 혜택 받기를 바란다"고 격려까지 해주어서 무척 고맙다.

서양 어느 나라 속담에 번역이란 배우자와 같다는 말이 있다. 아름다운 번역은 믿음직스럽지 못하기 쉽고, 믿음직스런 번역은 아름답지 못하기 일쑤란 뜻이겠다. 늦어서 번역이란 작업을 해본 역자의 경우도 번역에 대한 불만을 표하게 되는 점에 있어서 예외가 될 수 없음을 실감한다.『래설러스』가 씌어진지도 벌써 2세기하고도 반도 넘는 세월이 지났으니 상당히 고어 체의 글인 것은 말할 것도 없으려니와, 존슨 자신의 글 쓰는 모양새가 당시의 수준에 비해 보아도 적잖이 장엄하고 웅변적인 것을 알 수 있다. 영어와 한국어 사이에 있는 거리, 18세기와 21세기 사이에 있는 시간의 차이 등등을 생각해 보면 누구나 그 동떨어짐을 쉬이 짐작할 수 있겠다. 번역을 하는 일이 버리는 일이란 것을 이번에 깨닫게 되었다. 때로는 영어를 희생했고, 때로는 한국어를 희생해야하는 아쉬움을 겪었다. 그래도 마지막에 얻게 되는 것은 너무나 불만스럽고 초라하다고 고백하지 않을 수 없다. 번역의 원본으로는 J. P. Hardy가 편집한 옥스퍼드대학 출판사의 *The History of Rasselas, Prince of Abissinia*(1968)을 주로 사용하였다.

이 자그마한 책이 빛을 보기까지는 여러분의 격려와 도움이 있었다. 연문희 학형은 어려운 중책을 맡은 중에도 첨단 문명의 이기 한 벌을 마련하여 원로에 달려와 손수 그것을 설치한 뒤 문외한이었던 역자에게 시범을 보여 그 편리함을 일깨워 주었는데 새삼 감사히 여긴다. 김명복 학형은 바쁜 중에도 동분서주하여 어려운 기회를 마련해주기 위해 정성을 쏟았다. 오인택 박사는 이 원고를 읽어 가필 정정해 주었기에 크게 도움이 되었다. 한흥석 선생님은 디자인을 맡아 책을 아름답게 꾸며주었다. 또 도서출판 동인의 이성모 사장님의 배려가 고맙고, 송순희 선생님의 수고는 부족한 글을 다듬는데 힘이 되었다.

이 외에도 역자를 도우신 분들은 여러분이어서 여기에 글로서 표하여 인사를 드리기는 어렵다. 한 분 한 분 모두 기명하지 않는다 해서 감사한 마음이 적은 것은 아니다. 모든 것이 여러분들이 베푸신 덕에 힘입은 바가 크다. 그밖에 떨쳐 버리지 못한 흠과 티는 분명 역자의 몫인 것은 말할 나위도 없다. 후에 바로 잡을 수 있는 기회 있기를 바란다.

두서 없는 말로 더 이상 읽는 분들의 주의를 흐트러뜨리기보다, 곧바로『애비시니어 왕자 래설러스 이야기』를 처음부터 끝까지 정독해 주시기 바라면서 서문을 마친다.

관기 우거에서
역자

제 1 장
계곡에 있는 왕궁의 묘사

환상의 속삭임에 쉬이 귀 기울이어 희망이란 망령을 열심히 쫓는 그대들이여, 노년이 청년시절의 기대를 성취시켜 주리라 기대하고, 오늘의 결핍이 내일은 채워지리라 기대하는 그대들이여, 애비시니어 왕자, 래설러스의 이야기를 들으시오

래설러스는 대 황세의 넷째 왕자였는데, 그 제국의 영토에서 강의 원류가 비롯되고 풍부한 강물이 하구지역의 비옥함을 이루고, 이집트의 수확은 전 세계의 반이나 되는 지역으로 흩어졌다.

열대지방의 제왕들 사이에 대대로 전해 내려오는 관습에 따라서, 래설러스는 애비시니어 왕가의 다른 왕자, 공주들과 함께 왕위 계승의 순서에 따라 그가 왕위에 오를 때까지 외따로 떨어진 궁전에 거처가 제한되어 있

었다.

고대의 지혜나 정책에 따라 애비시니어 왕자들의 처소로 정해진 장소는 암하라* 왕국에 있는 광대한 계곡으로 사방이 산으로 에워싸여 있고, 산들 중 한 가운데에 높은 봉우리가 솟아 있었다. 그곳에 들어갈 수 있는 유일한 통로라고는 암벽 아래를 관통하는 동굴뿐이었는데, 그것이 천연의 것인지, 인력으로 뚫은 것인지에 대해서는 오랜 세월에 걸쳐 논란이 되었다. 그 동굴의 출구는 숲이 우거져 눈에 띄지 않았고, 계곡으로 이르는 입구는 고대의 장인匠人들이 만든 철문들로 닫혀져 있는데, 워낙 거대한 것이어서 기계 조작에 의하지 않고는 아무도 문을 여닫을 수가 없었다.

사방을 에워싸고 있는 산에서 시내들이 흘러내려, 계곡을 녹음으로 우거지게 하고, 비옥한 토지를 이루며, 계곡 중간은 호수를 이루고 있어, 갖가지 물고기들이 서식하였고, 온갖 새들이 사시사철 날아들어 자연이 가르친 대로 수면에 날개를 적시곤 했다. 이 호수에서 넘쳐 흐르는 물은 시내를 이루어 북쪽에 있는 캄캄한 틈바구니로 흘러 절벽에서 절벽으로 떨어져 끔찍스런 굉음을 내다가는 마침내 잠잠해졌다.

산허리에는 나무가 우거져 있고, 시냇가 둑에는 울긋불긋한 꽃들이 피어 바람이 일 때마다 바위들 사이로 향내를 흩뿌렸고, 사시사철 열매가 익어 땅에 떨어졌다. 풀을 뜯거나 잡목에 움트는 새순을 씹는 야생의 짐승이나 가축들은 그들을 에워싸고 있는 산들에 가려, 맹수들로부터 안전하게 이 넓은 분지에서 이리저리 노닐고 있었다. 한쪽 초원에는 양과 소 떼들이 풀을 뜯고, 또 한편에서는 온갖 야생의 짐승들이 숲 속의 빈터에서 뛰놀았다. 날쌘 새끼양은 바위에서 바위로 뛰어 다니고, 재치 있는 원

---

* 암하라: 현재 북서 에티오피아에 있었던 고대왕국. 이하 각주는 역자의 것임.

숭이는 나무 사이에서 장난을 치고, 엄숙한 코끼리는 그늘에서 쉬고 있었다. 온 세상의 모든 진기한 것들이 다 함께 있었으니, 자연이 베푸는 축복이란 축복은 다 모아졌고, 악이란 송두리째 뽑혀 제외되었다.

이 계곡은 넓고 결실이 많아 그 곳 주민들에게 모든 일상용품을 제공해 주었고, 황제가 자녀들을 찾아오는 연례방문 때에는 음악 소리가 울려 퍼지는 가운데 철문들이 열리고, 온갖 즐거움과 여흥이 곁들여졌다. 계곡에 살고 있는 이들은 은둔의 생활을 즐겁게 하기 위해 관심의 공허로움을 메우거나 시간의 단조로움을 덜어줄 수 있는 데 도움이 되는 것이면 무엇이든지 여드레 동안에 제의하도록 되어 있었다. 모든 요청은 즉각 허락되었다. 기쁨을 연출해 낼 수 있는 사람은 누구든지 이 축제를 흥겹게 하기 위해 초대되었으며, 왕자들이 이처럼 행복한 구금생활을 할 수 있도록 바라는 나머지 악사들은 음악의 힘을 한껏 발휘했고, 무희들도 왕자들 앞에서 자기들의 율동을 과시했다. 호화스러움에 진기스러움을 더해주는 흥행을 할 수 있다고 여겨지는 이들만이 이 축제에 가담토록 허용되었다. 이 은둔의 생활이 마련해주는 안일과 쾌락이 이 정도인 만큼, 처음 겪는 이들은 영원히 지속됐으면 하는 바람이었고, 일단 철문이 닫히면 다시 나올 수 있도록 허용되지 않는 만큼, 더 지속적인 체험의 결과가 세상에 알려질 수가 없었다. 그래서 매년 기쁨을 연출할 수 있도록 새로운 계획이 짜여지고, 감금된 삶을 위한 새 경쟁자들이 나왔다.

그 궁전은 호수의 수면에서 위로 약 삼십 보폭쯤 되는 언덕에 자리하고 있었다. 궁전은 여러 정방형 건물과 저택으로 나뉘어져 있는데, 기거할 사람의 신분의 고하에 따라 더 장엄하기도 하고 덜하기도 했다. 지붕은 거대한 석조로 아치형을 이루었고, 시멘트로 접합되어 세월이 감에 따라 더 견고해져서, 이 건물은 수세기에 걸쳐서 여름철의 호우도, 봄, 가을에 몰아치는 폭풍도 비웃는 듯이 서 있어, 보수 작업이 필요 없었다.

이 건물은 워낙 거대한 것이어서, 그곳의 비밀은 그것을 이어받아 온 몇몇 나이든 관리들만이 잘 알 수 있었고, 마치 의심 자체가 건물의 설계를 지휘한 것처럼 축조되었다. 모든 방이란 방에는 일반 통로와 비밀 통로가 설치되어 있었고, 모든 정방형 건물도 여타 건물과 통하게 되어 있어, 위층에서 비밀 계단을 통해 연결되거나, 아래층에서는 지하 통로를 따라 연결됐다. 여러 원주圓柱에는 식별할 수 없는 공동空洞이 장치되어 있었는데, 오랜 세월에 걸쳐 제왕들은 그곳에 보물을 비장해왔다. 그 입구는 대리석으로 밀폐되었고, 그 나라에 급박한 사정이 있을 때가 아니고는 열린 적이 없었다. 그 보물의 명세는 일일이 책에 기록되었고, 이 책 또한 탑 속에 감추어져 있었으며, 그 탑에는 황제만이 왕위를 계승할 왕자를 대동하고 들어갈 수가 있었다.

제 2 장
행복한 계곡에서의 래설러스의 불만

　여기에서 애비시니어의 왕자들과 공주들이 살았는데, 그들은 기쁨과 안락의 잔잔한 부침浮沈만을 체험할 뿐이고, 이들을 기쁘게 해줄 수 있는 재간 있는 신하들에게 시중 받고, 감각이 누릴 수 있는 모든 쾌락이 충족되었다. 그들은 향내 그윽한 정원에서 거닐기도 하고, 안전한 요새에서 휴식을 취하기도 했다. 그들이 마음껏 즐길 수 있도록 갖가지 기예技藝가 동원되었다. 그들을 가르치는 현인들은 오로지 백성들의 삶이 불행 외에 아무것도 아니란 것만을 들려주고, 산 너머는 재난의 지역이며 그곳에는 불화만이 위세를 떨치고, 인간이 인간을 살육하는 곳으로 묘사해서 들려주었다.

　그들 자신이 더 없이 행복하다는 생각을 고조시켜주기 위해 그들에게 매일 노래를 들려주었는데, 노래의 내용은 행복한 계곡에 관한 것이었다. 여러 가지의 향락을 빈번히 열거하여 그들의 흥취를 돋워 주었고, 흥겨운 잔치와 환락이 이른 아침 동틀 녘부터 해질 녘까지 매일 이어지는 것이었다.

이런 방법이 대체로 효과가 있어서 왕자들 중 어느 누구도 그들의 영역을 넓히고자 하는 이가 없었고, 인공이나 자연이 베풀 수 있는 것은 무엇이나 그들이 원하면 언제나 얻을 수 있다는 확신을 지니고 살았으며, 이 평화로운 영지에서 숙명적으로 제외된 사람에 대해선 운명의 희롱거리로, 불운의 노예로 불쌍히 여겼다.

아침에 일어나서 밤에 잠자리에 들 때까지 이들 모두는 서로 서로에 대해서 또 자기 자신들에 대해 만족했는데, 오직 스물 여섯된 래설러스만이 예외여서 그들이 하는 오락이며 모임도 마다하고 외로운 산책이나 조용한 명상에서 기쁨을 찾았다. 그는 종종 진미로 가득한 식탁에 자리해도, 그 앞에 차려진 맛난 음식을 맛보는 것조차 잊은 채 있거나, 노래가 울려 퍼지는 가운데 홀연히 자리를 박차고 일어나 음악이 들리지 않는 곳으로 물러나는 것이었다. 시종들이 왕자의 변화를 눈치 챈 나머지, 쾌락을 즐기도록 마음을 되돌려 보려고 애써 보았으나, 왕자는 그들의 촐랑이는 듯한 예절도 마다하고 그들의 간청도 물리치고, 매일 나무 덮인 시냇가에서 보내었다. 거기에서 가끔은 나뭇가지에 앉아 노래 부르는 새 소리에 귀 기울이고, 때로는 시냇물에 노니는 고기떼들을 지켜보기도 하고, 때로는 짐승들 우글대는 초원이나 산들을 쳐다보았는데 어떤 것들은 풀을 뜯기도 하고, 어떤 것들은 덤불 사이에서 잠자고 있기도 했다.

이 같이 색다른 그의 심사는 여러 사람의 주의를 끌게 됐다. 전에 그가 함께 담화를 나누며 기쁨을 느끼던 현인 한 사람이 그의 번민의 원인이 무엇인가 알아보려고 몰래 왕자의 뒤를 쫓았다. 자기 가까이에 누가 있다는 것을 눈치 채지 못한 래설러스는 바위틈에서 풀을 뜯고 있는 양떼를 한참동안 지켜보다가, 자신과 그것들의 처지를 다음같이 비교하였다.

"인간과 다른 짐승들의 차이는 무엇인가? 내 곁에서 헤매는 모든 짐승들은 나와 같이 육체적인 욕망을 지니고 있다. 배고픔을 느끼면 풀을 뜯고 목마르면 시냇물을 마셔 목마름과 배고픔을 달래어 만족하고, 잠들어 휴식을 취하고 잠에서 깨어나 배고픔을 느끼면 또 먹이를 먹고 휴식을 취한다. 나도 짐승과 마찬가지로 배고프고 목마르나, 목마름과 배고픔이 그친다 해서 마음의 안식을 얻지는 못한다. 짐승과 마찬가지로 나도 부족할 때 고통스러우나 충족되었다 해서 그처럼 만족하지는 못한다. 그 사이의 시간은 지루하고 우울하기 때문에 나는 나의 주의를 다시 소생시킬 수 있게끔 배고파지기를 고대한다. 새들은 열매나 곡식을 쪼아먹고, 숲으로 날아가 가지에 앉아 흥겨운 듯 단조로운 노래를 계속 불러 삶을 허송한다. 나도 또한 류-트 연주자와 가수를 부를 수 있으나, 어제 즐겁게 듣던 가락은 오늘 들으면 지겹고, 내일 또 듣게 되면 더욱 견딜 수 없게 되는 것이다. 적당한 쾌락에 의해 충족되어지지 않는 감수성도 내게 존재치 않는다는 것을 알면서도, 나 자신은 기쁨을 느끼지 못한다. 인간은 분명히 이곳에서 충족시켜줄 수 없는 어떤 잠재하는 감각 기능을 지니고 있거나, 행복하기 위해선 충족되어야만 하는 감각과는 별개의 욕망을 지니고 있어 행복하기 위해선 이것이 충족되어야 하는 모양이다."고 왕자는 말했다.

이런 얘기를 마치고, 고개를 들어 떠오르는 달을 바라보면서 궁전을

19

향하여 걸음을 옮겼다. 들판을 지나면서 주위에 있는 짐승들을 바라보고 그는 말했다. "너희들은 행복하구나. 너희들 사이에서 이렇게 걸어가는 나를 부러워할 것이 없다. 나는 마음이 무거운 존재이니. 온순한 것들아, 나 또한 너희들의 복된 상태를 부러워할 리가 없다. 그것은 인간이 누리는 행복이 아니니까. 나는 너희가 느끼지 못하는 온갖 근심이 있고, 고통을 실제로 당하지 않아도 고통을 두려워하고, 가끔은 지나간 불운을 회상하여 몸서리치기도 하고, 가끔은 닥쳐올 재앙을 예측하여 소스라치기도 한다. 참으로 섭리의 공평성은 기이한 고통과 묘한 즐거움으로 균형을 이루도록 하였구나."

왕자가 돌아오는 길에 이 같은 생각으로 심사를 달래며, 슬픈 목소리로 그것을 표현했지만, 얼굴표정은 자신의 통찰력에 흐뭇해하고 자신이 느끼는 의식의 섬세함과 슬픔을 탄식할 수 있는 웅변으로부터 인생의 재난에 대해 한 가닥 위안을 얻었음을 나타내고 있었다. 왕자는 저녁의 여흥에 흔쾌히 어울렸고 그의 마음이 가벼워진 것을 보자 모두 기뻐했다.

제 3 장
아무런 부족함이 없는 왕자의 불만

다음날 왕자의 연로한 스승은 이제 자신이 제자의 마음의 병을 알아차렸다고 상상한 나머지, 충고로 그것을 고치리란 희망을 품고, 왕자를 뵐수 있는 기회를 공식적으로 청하였다. 그러나 왕자는 그의 지능이 고갈된 것으로 생각한지 오래여서, 그럴 기회를 베풀 생각이 없어 다음과 같이 말했다. "왜 그분이 내 일에 간섭하려 하는지, 옛날에 처음으로 들었을 때만 기쁨을 줄 수 있었던 그분의 강론을 내가 결코 잊어서는 안 된단 말인가? 다시 새롭게 듣기 위해선 잊혀져야 하지 않는가?" 이렇게 말하고 왕자는 숲으로 들어가 평소대로 명상에 잠겨 마음을 달래었다. 그때 아직그의 상념이 구체적인 형태로 굳혀지기 전에 그는 자기를 추적하는 이가바로 옆에 있는 것을 감지했다. 처음 순간 견딜 수 없어 곧 바로 자리를

21

뜨고 싶은 생각이 들었으나, 그가 한때는 존경했고 지금도 아끼기는 매한 가지인 그 분의 감정을 상하게 하고 싶지 않아서, 둑에 함께 앉자고 스승에게 청했다.

이로서 용기를 얻은 노인은 최근에 왕자에게 나타난 변화에 대해 탄식했고, 왜 왕자가 궁전의 즐거움을 자주 물리치고 외로움과 침묵 속으로 빠져드는지 그 연유를 묻기 시작하였다. 왕자가 대답하기를, "즐거움이 더 이상 저를 즐겁게 해주지 않기에 도피하는 것이지요. 비참하게 느껴지니까 사람을 피하는 것이고, 내 존재로 인하여 타인의 기쁨에 어두운 빛이 드리우길 바라지 않을 뿐입니다"고 했다.

이에 현인이 말하기를, "공이야말로 이 **행복한 계곡**에서 불행하다고 불평을 한 최초의 사람입니다. 그대에게 꼭 믿게끔 하고 싶은 바는 그대의 불만이란 진정 근거가 없다는 것이옵니다. 그대는 이곳에서 애비시니어 제왕 폐하께서 베푸실 수 있는 온갖 것을 완전히 소유하고 있사옵니다. 그럼에도 힘든 일이나 위험을 무릅쓰고서야 얻거나 구할 수 있는 모든 것이 여기에는 있습니다. 주위를 둘러보시고 그대가 바라는 바가 충족되지 않은 것이 있으면 말씀하시지요. 모자라는 것이 없을 진데 어찌 불행하다 하시나요?"라고 했다.

왕자는 다음과 같이 대답했다. "내게 부족함이 없음이 또는 내게 무엇이 부족한지를 알지 못함이 나의 불만의 원인이요. 만약 내가 알고 있는 어떤 부족함이 있다면, 내게 확고한 바람이 있을 거요. 그러면 그 바람이 성취되도록 노력을 자극할 것이고, 그런 경우는 태양이 서쪽 산을 향해서 저처럼 천천히 진다고 탄식할 일도 없겠고, 아침이 밝아와 자신이 더 이상 잠에 숨겨져 있지 못함을 슬퍼하지도 않을 거요. 새끼 염소와 양들이

22

서로 쫓고 쫓기는 것을 보노라면, 나도 뒤쫓을 무엇이 있으면 행복하리란 생각이 듭니다. 그러나 내가 바랄 수 있는 건 무엇이나 소유한 만큼, 내게는 하루 하루의 시간 시간이 똑같은 것이고, 다음날이 전날보다, 다음 시간이 전 시간보다 더 지루한 것말고는 아무것도 다를 것이 없음을 알게 됩니다. 어떻게 하면 하루가 어린 시절에 그랬던 것처럼 짧게 느껴지게 할 수 있는지 당신의 경험에 비추어 보아 알려주시구려. 그때는 모든 자연이 한결같이 새로웠고, 매 순간 순간 내가 전에 보지 못한 것을 보여 주었지요. 저는 이미 너무 많이 즐겼습니다. 욕망을 품을 수 있는 어떤 것을 주시오.”

노인은 이처럼 새로운 종류의 병에 대해 당황한 나머지 뭐라고 대답해야 좋을지 몰랐으나 침묵할 생각은 없었다. 노인은 대답하기를, “귀공께서 세상의 온갖 재난을 목격하셨더라면, 그대의 현재의 상태를 소중히 여길 줄 아실 겁니다”고 했다. 이에 왕자가 대답하기를, “자, 이제 내가 무엇을 원해야 할까하는 것을 내게 알려주셨소. 세상의 온갖 재난을 목격하는 것이 행복에 필요한 것인 만큼, 이제 그 재난을 눈으로 직접 보고자 하오” 라고 했다.

제 4 장
왕자가 여전히 슬퍼하고 상념에 잠기다

이때 음악소리가 울리며 식사시간을 알려 그들의 대화가 끝났다. 노인은 이치를 따지고 타일러서 미리 막고자 마음먹었던 바로 그 결론에 도달하게 된 것을 알게 되자 적잖이 불만스러워 그곳을 떠나갔다. 그러나 인생의 내리막길에서는 수치심이나 슬픔도 잠깐 지속될 뿐이다. 그 이유는 우리가 오랜 세월에 걸쳐 견뎌온 것을 쉽게 참을 수 있어서든지 혹은 우리가 노년에 들어 덜 존경받는다는 걸 알게 되어서 남들에 대해서도 크게 개의치 않기 때문이든지, 아니면 죽음의 손길이 곧 종말을 가져오리라고 우리가 알고 있는 고통이란 것에 대해 대수롭지 않게 여기기 때문일 수도 있다.

왕자의 시야는 더 넓은 공간을 향해서 확대되었고, 그래서 자신의 감정을 쉬 진정시킬 수가 없었다. 오랜 세월에 걸쳐 많은 어려움을 견뎌야 하리란 생각이 들어서, 자연이 자신에게 약속한 긴 인생기간에 대해 전에는 두려워한 적이 있으나 앞으로 올 여러 해 동안에 많은 일을 할 수 있구나 싶어 이제는 자신의 젊음에 대해 기뻐했다.

그의 마음을 꿰뚫은 이 희망의 빛줄기는 그의 양 볼을 젊음으로 타오르게 했고 눈의 광채를 더해 주었다. 아직은 분명히 목적도 수단도 알지 못하면서, 그는 무엇인가 해보겠다는 욕망으로 불타고 있었다.

그는 이제 더 이상 침울해하지도 비사교적이지도 않았다. 남에게 감추어야만 즐길 수 있는 비밀스런 행복 한 가지를 소유하고 있는 주인이라 생각한 나머지, 그는 여러 유흥 계획에 참여하여 몰두하는 시늉을 했고, 자신은 싫증난 것을 가지고 남들을 즐겁게 만들려고 노력을 기울였다. 그러나 쾌락이란 증가될 수도 지속될 수도 없는 것이어서, 생활의 대부분을 무엇엔가 몰두하지 않을 수는 없었다. 따라서 혼자 생각에 잠겨 의심받는 일 없이 밤이나 낮이나 많은 시간을 보낼 수 있었다. 삶의 무거운 짐이 훨씬 가벼워졌고, 자기가 모임에 자주 나타나는 것이 목적하는 바를 성취하는 데 필요하다 생각하여 모임에도 열심히 참가했고, 또 이제 생각할 거리가 있기에 기꺼이 은밀한 곳으로 물러나기도 했다.

왕자에게 큰 기쁨이 되는 생각은, 한 번도 본적이 없는 세상을 마음속에 상상하여 그려본다든지, 자신을 여러 가지 상황 속에 처하게 하기도 하고, 공상 속에서 연출되는 여러 가지 난관에 휘말려들기도 하고, 위험스런 모험을 감행하기도 하는 것이었다. 그러나 한결같이 고통을 완화시켜 주는 것으로, 기만이 탄로 나는 것으로, 억압하는 쪽이 패배하는 결과로, 행복이 여러 사람에게 고루 퍼지게 되는 상태로 그의 계획이 끝나도록 하는 것은 자신의 자비스러운 마음씨 때문이었다.

이렇게 하여 래설러스의 인생에서 이십 개월이 지나갔다. 그는 상상력이 발휘하는 분주함에 깊이 빠져들었고, 그래서 자신 본래의 외로움을 잊게 되고, 인간 세계의 여러 사건에 대해 끊임없이 대비책을 세우는 나머지 어떤 방법으로 사람들과 어울려야 하나를 생각하는 것을 등한히 하였다.

하루는 왕자가 둑에 앉아 공상하기 시작했다. 천애고아의 처녀가 변절한 애인에게 소액의 지참금을 강탈당하고 자기더러 찾아달라고 애걸하며 울부짖는 모습이 떠올랐다. 그 모습이 하도 강하게 마음에 인상 지워져, 그 처녀를 보호하기 위해 벌떡 일어나 달려가서 약탈자를 잡으려고 온 힘을 다하여 추적했다. 공포에 사로잡힌 도망자가 온 힘을 다해 달린 것은 당연했다. 래설러스는 온 힘을 다했으나 도망치는 이를 따라 잡을 순 없었다. 그러나 속력에 있어서는 능가할 수 없는 이를 끝내 추적하여 지치게 할 생각이어서 계속 달렸으나, 산기슭에 닿아서 멈추지 않을 수가 없었다.

이때 공상에서 깨어나고, 자신의 부질없는 충동에 대해 미소를 지었다. 눈을 들어 산을 쳐다보면서 왕자가 말하기를 "이것이 바로 치명적인 장애물이어서 기쁨을 향유하고 미덕을 실천할 수 있는 일을 가로막고 있구나. 나의 희망과 바람이 이 삶의 경계를 넘어 날아간 지 얼마나 오래 되었는데, 아직까지 한 번도 그것을 뛰어넘을 시도를 하지 못하였으니!"라고 했다.

이런 생각에 사로잡혀 주저앉아 명상에 잠기게 되니, 자기가 갇힌 곳에서 탈출하겠다는 결심을 처음 한 이래로 태양이 매년 달리는 경로에서 그의 머리 위를 두 번이나 지나쳐 갔다는 것을 생각해냈다. 그는 전에 한 번도 경험한 적이 없는 후회의 감정을 이제 맛보게 되었다. 흘러간 세월 동안 얼마나 많은 일들을 해낼 수 있었을까하고 생각해보고, 성취하여 아무것도 남겨놓은 것이 없음을 곰곰이 생각해보았다. 그는 이십 개월이란 세월을 사람의 일생과 비교해 보았다. 왕자는 다음같이 말했다. "일생을 계산하는 데 무지한 유년기도, 허약한 노년기도 계산에 넣지 말아야 한다. 태어나서 오랜 세월이 흐르고야 인간은 사고할 수 있고, 또 오래지 않아서 행동할 수 있는 능력을 잃는다. 진정 인간으로 생존할 수 있는 시기를 사십 년으로 계산하는 것이 합당하겠다. 그 중에 이십사분의 일을 한낮 생각에 빠져 허송하였다. 그 이전의 세월을 내가 소유했었던 것이 분명한 만큼 그 세월을 잃은 것 또한 틀림없다. 그러나 앞으로 올 이십 개월을 누가 내게 보장한단 말인가?"

왕자는 자신이 어리석었음을 자각하게 되어 가슴이 에는 듯 했고, 오랜 시간이 걸려서야 마음을 진정시킬 수 있었다. 왕자는 말했다. "여타의 시간은 선조가 저지른 죄나 어리석음으로, 또 우리나라의 불합리한 제도로 인하여 허송됐다. 생각하면 역겨우나, 후회하지는 않는다. 그러나 새로운 빛이 나의 영혼을 꿰뚫어, 바람직한 행복의 계획을 짠 후에 허비된 세월은 나 자신의 부족함 때문이다. 나는 다시 돌이킬 수 없는 것을 잃었다. 이십 개월에 걸쳐 태양이 뜨고 지는 것을 보았으나, 하늘의 빛을 멍하니 바라보기만 하였다. 그러는 동안에 새끼 새는 어미의 둥지를 떠나, 숲에다, 하늘에다 자신을 맡겼다. 그러는 동안에 새끼 염소도 어미젖을 떠나서, 혼자 먹이를 찾아 바위를 오르는 것을 차차로 익혔다. 나만이 아무런 진전도 이루지 못하고 아직도 여전히 무지하여 어쩔 바를 모르는구나. 달도 스무 차례나 기울어 인생의 유전流轉을 내게 경고했고, 내 발 앞에서 흐르는 시냇물도 나의 무기력함을 꾸짖었다. 지구의 본보기도, 별들의 가르침도 아랑곳 않고, 단지 공상스런 지적인 탐닉에만 열중하였구나. 이십 개월이 흐른 것을 누가 보상할 것인가!"

이 같이 슬픈 생각이 그의 마음을 억누르는지라, 사 개월이 흘러서야 부질없는 결심 따위에 더 이상 시간을 허비하지 말아야겠다는 결심을 하게 되었다. 왕자는 잔 하나를 깬 하녀가 돌이킬 수 없는 걸 후회한들 소용없다고 말하는 것을 귓전에 듣고서야, 자신도 더 열심히 노력해야겠다는 각성을 하게 됐다.

이것은 분명했다. 여러 가지 유익한 암시가 우연히 얻어진다든지, 우리의 마음이란 들떠서 멀리 보이는 것에 대해 조급한 나머지 가까이 앞에 펼쳐져 있는 진리를 얼마나 자주 등한히 하는가를 알지도, 생각해 보지도 못했던 차에 그 진실을 깨닫고 래설러스는 자신을 책망하였다. 왕자는 몇 시간 동안이나 자신이 후회만을 거듭해 왔음에 대해 안타까워하고, 그때부터 행복의 계곡에서 탈출할 수 있는 수단을 찾는데 온 마음을 기울였다.

제 5 장
왕자가 탈출을 궁리하다

성취할 수 있을 것이라고 쉽게 상상했던 것을 실제로 이루기는 대단히 어렵다는 걸 이제 왕자는 알았다. 자기 주위를 사방 둘러보니 지금까지 한 번도 깨뜨려진 적이 없는 자연이란 장벽으로, 또 일단 그 문을 통해 들어온 이는 아무도 그것을 통해 나간 적이 없는 문으로 자신이 감금되어 있음을 깨닫게 되었다. 왕자는 새장에 갇힌 독수리처럼 안절부절 했다. 그는 덤불에 가리어 보이지 않는 어떤 틈이라도 있나 찾아보려 몇 주일에 걸쳐 산에 오르고 또 올랐다. 그러나 산봉우리마다 우뚝 솟아서 접근조차 할 수 없단 걸 알게 됐다. 철문을 열겠다는 생각은 포기했다. 왜냐하면 온갖 묘를 다하여 안정 장치가 되어 있는데다가, 항상 교대로 파수병이 지키고 있고 위치상으로도 주민들의 눈에 항상 띄는 곳에 문이 자리하고 있었기 때문이었다.

왕자가 호수 물이 흘러나가는 동굴을 조사해 보았다. 햇빛이 동굴 입구에 쨍쨍 내려 쬐는 때에 들여다보니, 부서진 돌로 가득 채워져 있어서 여러 좁은 틈바구니로 물은 흐를 수 있어도, 몸체가 있는 사람은 통과하지 못한다는 것을 알게 되었다. 맥이 풀려 우울한 심사로 돌아왔다. 그래도 이제 희망이란 축복을 아는 이상 결코 절망하지 않겠다 다짐했다.

이렇게 하여 십 개월이란 시간을 결실 없는 탐색으로 보냈다. 그래도 시간은 즐겁게 흘러갔다. 아침이면 새로운 희망을 품고 자리에서 일어나고, 저녁이 되면 자신의 근면함에 마음으로 갈채를 보냈고, 밤이면 지친 나머지 단잠에 들고는 했다. 왕자는 자신의 노고를 달래줄 수 천 가지의 여흥도 접하고, 기분전환도 하였다. 짐승들의 여러 가지 본능도 식별하게 되고, 식물들의 특성도 눈에 익히고, 그곳이 여러 가지 진기한 것들로 가득한 것을 발견하고, 자신이 탈출을 성사시키지 못할 경우는 그것들을 관조하면서 자신을 달래리라 마음먹었다. 또 왕자는 아직은 달성하지 못하였어도, 자기의 온갖 노력이 무진장한 연구거리의 원천을 자기에게 가져다준 것에 기뻐했다.

그러나 자신이 처음 품었던 호기심은 아직도 줄어들지 않았다. 왕자는 세상 사람들이 어떻게 살아가는가 알아볼 결심을 했다. 그의 바람은 지속되었으나 희망은 줄어들었다. 왕자는 자신이 갇혀있는 감옥의 벽들을 조사하는 일을 그만두었다. 발견할 수 없을 것이라고 그가 알고 있는 틈바구니를 애써 다시 찾아보기를 삼가 했으나, 자신이 계획을 항상 염두에 둘 것은 단단히 결심하고서 기회가 오게 되면 수단을 포착하기로 작정했다.

제6장
비행술에 대한 대담

이 행복한 계곡으로 꾀여 들어온 장인匠人들은 주민들의 편리한 생활용품이나 즐거움을 마련하는 일에 종사했는데, 그들 중 한 장인은 기계 역학에 뛰어난 지식을 가지고 있어서, 일상용품으로 쓰이는 도구며, 오락에 쓰이는 많은 도구들을 고안해 냈다. 그는 시냇물로 바퀴를 돌려 물을 탑 위로 끌어 올려서 그곳에서 궁전의 건물마다에 물을 공급하도록 했다. 정원에 누각을 세우고, 인공으로 소나기 같은 물을 뿌려 주위의 공기를 언제나 시원하게 유지하기도 했다. 숲 속의 한 빈터는 부인들만이 전용하는 곳이었는데, 부채들을 사용해서 환기시켰고, 그곳을 흐르는 도랑이 이 부채들을 항상 작동케 했다. 또 부드러운 음악소리를 내는 여러 가지 악기들이 적당한 거리에 배치되었고, 악기들 중 어떤 것은 바람이 일 때마다 연주되고, 어떤 것은 시냇물의 흐름에 의해서 연주되기도 했다.

래설러스는 가끔 이 장인을 찾아가 만나고, 그의 다방면에 걸친 지식에 대해서 흐뭇하게 여겼으며, 그것을 습득하여 그가 바깥 세상에 나가게 되면 도움이 될 날이 오리란 공상을 했다. 어느 날 왕자가 예나 다름없이 재미있게 소일을 하려 장인을 찾아갔더니, 장인은 수레를 건조하는데 여념이 없었다. 왕자는 설계로 보아 수평면에서는 실용성이 있을 것으로 생각되어서 높이 평가하고 칭찬하여 완성토록 권유했다. 장인은 왕자가 그처럼 높이 평가해 주는데 흡족해서 더 높은 영예를 얻을 마음으로 다음 같이 말했다.

"왕자님은 역학이 해낼 수 있는 일부만을 보셨지요. 저는 오래 전부터 생각하기를 배나 수레와 같은 느린 수송 수단말고도 사람은 날개 같은 빠른 이동 수단을 사용할 수 있으리라 생각해 왔습니다. 대기층이 우리 지식의 탐구에 개방되어 있는 만큼, 무지와 게으름 때문에 지상에서 기다시피 움직이는 것이지요."

장인의 이와 같은 암시는 산을 넘어가고자 하는 왕자의 욕망에 다시 불을 붙였고, 장인이 이미 이룩한 업적을 잘 아는지라 그가 그 이상의 것도 할 수 있으리란 공상을 서슴치 않았으나, 지나친 기대가 실망을 안겨 주어 괴로움을 당하는 일이 없도록 더 알아보리라 마음먹었다. 그래서 왕자는 장인에게 말했다.

"내 생각에는 그대의 상상력이 그대의 기술을 압도하는 것 같소. 그대가 지금 얘기하는 것은 확신으로 알고 있는 것이 아니라, 그대가 마음 속으로 바라는 바가 아닌가 싶소. 모든 짐승이란 그들에게 할당된 영역이 있는 것 아니요. 새에게는 공중이 영역이고, 사람이나 짐승에게는 육지가 영역이 아닌가."

32

장인이 대답했다. "그와 마찬가지로 물고기는 물이 영역이지요. 그래도 짐승들은 본능에 의해서 헤엄을 칠 수 있고, 인간은 기술에 의해서 헤엄을 칠 수가 있지요. 헤엄을 칠 수 있는 인간이 날지 못하리란 법이 없지요. 물에서 헤엄을 치는 것은 농도 짙은 액체에서 나는 것이나 마찬가지이고, 공중에서 나는 것은 더 희박한 유동체에서 헤엄치는 것이나 다를 바가 없습니다. 단지 우리가 통과해야하는 물질의 차이에 따라 우리의 저항력을 조화시키면 됩니다. 공기가 압력에서 물러나는 속도보다 더 빠르게 추진력을 새롭게 하기만 하면 분명히 공중에 떠오를 수가 있을 겁니다."

왕자는 다음 같이 답했다. "그러나 헤엄을 치는 운동은 대단히 힘이 들어서 아무리 사지가 튼튼해도 곧 지치게 됩니다. 내 짐작으로는 나는 행위는 그보다 더 격렬한 것이고, 헤엄쳐 나가기보다 더 멀리 갈 수 없다면 날개가 별로 소용이 없을 겁니다."

이에 대해 장인이 다음같이 말했다. "우리가 덩치 큰 가금류家禽類에서 보다시피 땅에서 공중으로 치솟는 데는 대단히 힘이 듭니다. 그러나 높이 올라가면 갈수록 지구의 인력과 인체의 중력이 점차로 줄어들어, 마침내 어떤 부분까지 상승하게 되면 인체가 공중에 떠서 낙하하는 성향이 없게 될 겁니다. 그렇게 되면 아무 걱정할 것 없이 앞으로 나가는 데에는 근소한 추진력만으로도 효과가 날 겁니다. 왕자님의 호기심이 대단하신데, 다음과 같은 것도 쉽게 상상하실 수 있을 겁니다. 더할 나위 없이 즐거운 마음으로 한 철인이 두 날개를 달고 하늘을 날 때, 지구와 그곳에 살고 있는 사람과 온갖 짐승들이 자기 아래에서 회전을 하여 지구의 자전에 의해서 같은 위도 상에 있는 모든 나라들이 연속적으로 자기의 시야에 들어오게 된다면 그 철인은 얼마나 즐겁겠습니까. 움직이는 육지나 대양의 모습, 도시와 사막의 광경을 보는 것이 공중에 떠 있는 목격자에게 얼마나 신나는 것일까요! 한결같이 아무런 위협도 받지 않고, 상업의 중심지며 전쟁터를 관망한다든지, 미개인이 우글거리는 산악지대나, 풍요로움으로 기뻐하고, 평화로움으로 달래어진 다산多産의 지역을 바라본다고 생각해 보세요! 힘들이지 않고 나일강의 물줄기를 더듬을 수 있을 거고, 멀고 먼 지역으로까지 넘어가 지구의 끝에서 끝까지 자연의 모습을 샅샅이 볼 수 있지요!"

왕자가 말했다. "그대가 말한 이 모든 것이 실로 바람직하구려. 그러나 내가 염려하는 바는 그대가 말하는 공상과 평정의 영역에서는 어느 인간도 호흡할 수 없을 것 같소. 내 듣건 데, 높은 산꼭대기에서는 호흡이 곤란하다 들었소. 그리고 공기가 희박할 정도로 그렇게 높은 곳이라 해도 떨어지기 쉬운 것이요. 내 짐작으로는 아무리 높은 곳이라 해도 생명이 지탱할 수 있는 곳이라면 급속히 낙하할 위험이 있을 것 같소."

이에 대해 장인이 답했다. "있을 법한 모든 반대 의견을 먼저 다 극복해야만 한다면 어떤 일도 시도할 수가 없을 겁니다. 저의 계획에 찬성하신다면, 저 자신의 위험을 무릅쓰고 시험 비행을 해보겠습니다. 저는 모든 날짐승들의 신체구조를 검토했습니다. 알아낸 사실은 연속적으로 접었다 폈다 할 수 있는 박쥐의 날개 형태가 인간의 체형에 가장 편리할 거란 생각입니다. 그런 설계에 따라 내일부터 작업에 착수하여서 일 년 후에는 인간의 악의나 추적을 초월하는 대기 속으로 솟아오를 겁니다. 그러나 저는 다만 이런 조건 하에서만 작업을 할 겁니다. 즉 그것에 대한 기술이 누설되지도 않고, 또 왕자께서 우리 두 사람말고는 어느 누구를 위해서도 날개를 만들어 달라고 청하지 않겠다는 조건말입니다."

래설러스가 말했다. "그대가 그처럼 유익한 것을 가지고 남들을 시기하는가? 만인에게 유익하도록 모든 기술이란 경주되어야 하는 것이거늘. 어느 누구도 타인에게 힘입지 않는 자 없으니, 자신이 받은 바 혜택을 갚음이 마땅하지 않은가?"

장인이 응답했다. "모든 사람이 다 선량하다면 그들 모두에게 나는 법을 서슴치 않고 기꺼이 가르쳐 주어야지요. 그러나 악한 자들이 그들 마음대로 하늘을 날아 쳐들어온다면, 선한 사람들의 안전은 어떻게 되겠습니까? 구름을 뚫고 날아오는 군대에 대항해서는 성벽도, 산도, 바다도 안전을 대비할 수가 없게 될 겁니다. 북방의 야만인들이 날개를 푸덕대고 날아와, 그들 아래에 있는 풍요로운 지방의 수도에 격퇴할 수 없는 폭력을 행사하며 내려 덮칠 수도 있지요. 왕자님들의 은둔처인 이 계곡도, 이 행복의 처소조차도 남쪽 바닷가에 우글거리고 살고 있는 나체 부족이 갑자기 내려 닥쳐서 침입할지도 모르지요."

왕자는 비밀을 지킬 것을 약속하고, 성공이 전혀 가망이 없으리란 생각은 아니어서 일의 진전을 기다렸다. 그는 자주 작업 현장을 찾아가 발전해 나가는 것을 지켜보기도 하고, 기계의 가동을 용이케 하는 가벼우면서도 힘을 받을 수 있는 기발한 장치 같은 것에 자기 의견을 표시하기도 했다. 날이 감에 따라 장인은 자신이 독수리나 수리를 능가할 수 있으리란 확신에 차게 되고, 이 같은 장인의 확신이 왕자를 사로잡았다.

일년이 지나서 날개들이 완성되었고, 정해진 날 아침에 제작자가 비행할 준비를 하고서 자그마한 갑岬에 나타났다. 그는 바람을 모으기 위해서 양 날개를 얼마동안 저어대고 나서 서 있던 장소에서 몸을 날렸다. 그러다가 한 순간에 호수 속으로 빠졌다. 그의 두 날개는 공기 중에서 아무 쓸

모가 없었으나, 물 속에서는 그의 몸을 지탱해 주어서, 왕자가 그를 육지
로 끌어내니, 공포와 통한에 사로잡혀 반은 죽어 있었다.

제 7 장
왕자가 학식 있는 이를 만나다

　다른 탈출방법이 보이지 않는 상황에서 혹시 지금보다는 나은 사건이 일어나지 않을까 기다려 본 것인 만큼 이 불운으로 인하여 왕자는 별로 상심하지 않았다. 왕자는 먼저 닥치는 기회를 잡아 행복한 계곡을 탈출하고자 하는 자기의 계획을 여전히 유지했다.

　· 왕자의 상상력은 이제 정지한 상태에 있었고, 그가 바깥세계로 갈 수 있으리란 전망이 없었다. 지탱하고자 하는 모든 노력에도 불구하고, 불만스러움이 점차로 마음을 괴롭히게 되고, 이곳 나라들에 정기적인 장마철이 다가와서 숲으로 발걸음을 떼어놓는 것이 불편하게 되었을 때 왕자는 다시 생각을 잃고 슬픔에 빠졌다.

　장마가 전에 없이 오랫동안 맹위를 떨치고 에워싸고 있는 산꼭대기에서는 구름이 돌진했고, 동굴이 물을 흘려 보내기엔 너무 좁아서 쏟아지는 폭우가 사방 평지에서 시내를 이루어 흘러내려 갔다. 호수에서는 둑 위로 물이 넘쳐흘렀고 계곡의 모든 평지란 평지는 온통 홍수로 덮였다. 궁전이 서 있는 언덕과 지반이 높은 몇 몇 지역들만이 눈에 띌 뿐이었다. 짐승이며 새들도 초원을 떠나고 없고, 가축이며 야생 짐승들은 산 속으로 숨어 들었다.

이 범람으로 왕자들 모두가 궁내에서 하는 놀이에만 한정되었다. 래설러스의 관심은 한 편의 시詩에 특별히 사로잡혔는데, 그것은 임락이 여러 가지 형태의 인간조건에 관해서 큰 소리로 낭송한 시였다. 왕자는 그 시인을 자기의 방으로 오라고 명하여, 다시 한번 그 노래를 읊도록 했다. 그리고서 정다운 담화에 들어갔는데, 그처럼 세상을 잘 알고, 삶의 이 모습 저 모습을 기교 있게 묘사할 수 있는 사람을 발견했으므로 왕자는 자신이 행복하다고 여겼다. 다른 사람들에게는 평범한 것이지만, 유년 시절부터 갇혀 살아와서 자신은 전혀 모르는, 그런 세상사에 관한 수천 가지나 되는 질문을 왕자는 던졌다. 시인은 왕자의 무지함이 안타까우면서도 그의 호기심이 마음에 들어서 신기로움과 가르침으로 왕자를 매일 즐겁게 해주었는데, 왕자는 수면의 필요성을 탄식했고 어서 아침이 되어 자신의 기쁨을 새롭게 할 수 있기를 고대할 정도였다.

그들이 대좌하고 있을 때, 왕자는 임락에게 명하여 자신의 과거사를 들려달라고 했고, 또 무슨 연유로, 아니면 무슨 동기에서 행복한 계곡에 자신의 삶을 유폐시키게 됐는지를 들려달라고 청했다. 시인이 자기 이야기를 막 하려고 하는 참에 래설러스는 연주회에 초청을 받아서 저녁때까지 호기심을 참아야 했다.

제 8 장
임락의 이야기

열대 지방에서는 해가 저무는 때가 오락과 여흥의 시간이어서, 자정이 지나서야 음악 소리가 그치고 공주들이 물러났다. 그 때 래설러스가 친구를 불러서 그의 체험담을 들려달라고 청하였다.

임락이 말했다. "왕자님, 저의 이야기는 길지 않습니다. 학문에 헌신된 삶이란 조용히 흐르는 것이고, 별로 이렇다할 사건들로 변화 있는 것도 못 됩니다. 대중 앞에서 이야기하고, 혼자서 사색하고, 독서하고, 남의 이야기를 듣고, 조사하고, 의문에 대한 해답을 찾고자 하는 것이 학자의 일입니다. 학자란 온 세상을 헤매 다녀도 화려한 장관을 뽐내는 일도 없고 두려움을 자아내는 대상도 되지 못합니다. 단지 자기와 같은 동류의 학자들말고는 알아주는 이도 높이 평가해 주는 이도 없는 것이 학자이지요"

"나는 나일강의 원류에서 그리 멀지 않은 고이아마* 왕국에서 태어났지요. 부친은 부유한 상인으로 아프리카의 내륙국가들과 홍해 연안의 항구 사이에서 교역을 하셨습니다. 그분은 정직하고, 검약하고, 근면한 분이었으나, 품성은 저속했고 박학하지 못했다 할 수 있는 분이었지요. 그분이 바라는 것은 단지 재산을 모으는 일이고, 그 지역의 관리들에게 약탈당할까 두려워 모은 재산을 감추어 놓는 것이었습니다."

왕자는 말했다. "저런, 부왕 폐하께서 맡으신 바를 소홀히 하셨음이 틀림이 없구려. 당신 치하에서 누가 남이 소유한 것을 감히 빼앗다니. 자행된 불의나 마찬가지로 허용된 불의에도 책임이 있음을 부왕 폐하께선 모르신단 말인가? 내가 황제라면 아무리 미천한 백성이라도 부당히 억압받는 일은 없을 텐데. 그런 얘기를 들으니 내 피가 끓어오르는구려. 세도자의 강탈에 빼앗길까 두려워 정직하게 번 수익을 상인이 향유할 수가 없다니. 백성을 약탈한 관리의 이름을 대시오. 부왕 폐하께 그의 죄악을 고해 바치리라."

임락이 말했다. "왕자님, 그대의 분노는 젊음에서 솟아나는 당연한 미덕의 소치입니다. 왕자님도 폐하의 책임을 면제하실 날이 올 겁니다. 아마 그 땐 그 관리 얘기를 듣고서도 그리 못마땅하게 생각하시지 않을 수도 있을 겁니다. 애비시니어 제국 내에서 압제가 흔히 있는 일도 아니고, 용납되는 것도 아닙니다. 그러나 또한 잔인무도함이 완전히 방지될 수 있는 어떤 형태의 통치 체제도 이제까지 창안된 일이 없습니다. 다스림은 한편에서는 권력을, 다른 편에서는 복종을 전제로 하는 것이지요. 그리고 만약 힘이 여러 사람의 손에 쥐어진다면, 그것은 가끔 악용될 것입니다. 최

* 고이아마: 애비시니어에 속했던 다섯 왕국 중의 하나

고의 통치자가 밤샘을 하여 다스린다면 많은 일을 할 수 있겠지요 그래도 이루지 못한 채 남는 일이 많을 겁니다. 그 조차도 저질러진 모든 죄악을 다 알 수는 결코 없는 일이고, 그가 안다 할지라도 그들을 모두 다 벌할 수도 없는 겁니다."

왕자가 말했다. "그 점을 나는 이해할 수가 없소 그러나 논박하기보다는 그대의 이야기를 듣겠소 그대의 이야기를 계속하시오"

임락이 이어나갔다. "저의 부친께선 원래 내가 장사를 할 수 있도록 자격을 주는 것말고는 어떤 교육도 받지 않게 하겠단 계획이셨지요 그래서 내가 비상한 기억력이 있고 기민한 이해력이 있음을 아시고, 내가 훗날 애비시니어에서 가장 큰 부호가 되기를 바라신다고 말씀하셨지요"

왕자가 말했다. "그대의 부친은 어찌하여 내색할 수 있는 것보다도, 향유할 수 있는 것보다도 더 많은 부를 이미 소유했음에도 불구하고, 더 이상의 부를 축적하기를 탐냈단 말인가요? 본인이 그대의 성실성을 의심할 생각은 추호도 없으나 전후 이야기가 일치하지 않는 것 같으니 두 가지 이야기가 다 사실이 될 수는 없는 것 아니겠오?"

임락이 대답했다. "일관성이 없을 경우 양자가 다 옳을 수는 없는 일이지요 그러나 일관성의 결여가 사람에게서 기인할 때는 전후 모순이 되는 둘 다가 모두 사실일 수도 있습니다. 그러나 상이점이 바로 전후 모순일 수는 없는 것입니다. 부친께선 더 안전한 시기를 기대하셨을 수도 있지요 그러나 인생이 계속 지속되기 위해선 어떤 종류의 욕망이라도 있어야 하는 법이어서, 당신의 진정한 바람이 충족되었는데도, 환상에서 나오는 바람을 품으셨던 거지요"

왕자가 말했다. "그 점은 어느 정도 상상할 수가 있겠군요 그대 얘기를 가로막아 죄송하오."

임락은 말을 이어갔다. "그런 희망으로 저를 학교에 보내셨지요 그런데 내가 지식의 기쁨을 일단 맛보고, 지성의 쾌락과 창작력의 우월감을 느끼게 되자 나는 내심 부壽란 것을 경멸하기 시작했고, 그분의 사고의 천박함이 나로 하여금 동정심을 일게 했습니다. 그래서 부친이 뜻하는 바를 거스르리라 마음먹었습니다. 내 나이 이십 세가 되어서 부친의 자애로움이 나에게 여행의 고달픔을 맛보게 하였고 그때 여러 스승에게서 가르침을 받아 우리나라의 모든 문학을 익히게 됐지요 시간 시간마다 새로운 것을 배워 나는 지속되는 만족감을 느끼며 살았습니다. 그러나 성인이 돼 가면서 전에 스승을 대할 때 항상 지니던 존경심을 대개는 잃게 됐지요 왜냐하면, 그분들의 가르침이 끝나게 될 땐 그분들도 다른 평범한 사람들보다 지혜롭지도 훌륭하지도 않다는 것을 알게 됐거든요

마침내 부친께선 내가 장사에 착수할 때가 되었다고 마음먹으시고 지하 보물창고를 하나 여셔서 금화 일 만 냥을 세어 내셨습니다. 그리고 제게 말씀하시기를, '애야, 이것이 네가 장사를 시작할 밑천이다. 나는 이것의 오분의 일도 못되는 돈을 가지고 시작했다. 너도 알다시피 근면과 절약이 재산을 늘린 것이다. 너의 몫이니 탕진하던 늘리던 네게 달려 있다. 게을러서든 경솔해서든 그 돈을 다 탕진하게 되면 내가 죽을 때까지 기다려야 재산을 상속받아 부자가 될 거고, 만약 사 년 후에 재산을 두 배로 늘린다면, 그 때부터 우리의 종속 관계가 끝나서, 동료와 동업자로 함께 살아가는 거다. 왜냐하면 부를 쌓는 기술에 동등하게 재능이 있으면, 나와 동등한 자격이니까.'

우리는 싸구려 상품의 짐짝에 돈을 감추어 낙타에 싣고 홍해 연안으

로 길을 떠났지요. 망망대해에 내 눈길이 멎었을 때 내 가슴은 탈출한 죄수의 마음처럼 뛰었습니다. 끌 수 없는 강한 호기심이 마음 속에 타오름을 느꼈고, 다른 나라의 풍물을 배우고 애비시니어에서는 알려지지 않은 학문을 익힐 수 있는 절호의 기회로 삼을 것을 다짐했습니다.

저는 아버지께서 내게 재산을 늘리도록 맡기신 것은, 내가 깨뜨려선 안 된다는 약속에 의거한 것이 아니라, 내가 자의로 깨뜨릴 수도 있는 벌칙에 의거한 것이었다는 사실을 기억했습니다. 그래서 나는 맹렬한 욕망을 충족시킬 결심이었고, 지식의 샘에서 물을 마셔 호기심이란 갈증을 달래기로 마음먹었지요.

아버지와 관계하지 않고 장사를 하게 되어 있는 만큼 배의 선주 한사람과 쉽게 친해졌고, 다른 나라로 갈 수 있는 통행권을 취득할 수가 있었습니다. 내 여로를 규제할 아무런 선택의 동기가 없었던 만큼, 내가 어디를 방황하던 간에 전에 보지 못한 그런 나라를 볼 수 있기만 하면 충분한 것이었지요. 그래서 수럿*으로 향하는 배를 탔지요. 내 계획을 알리는 편지 한 통을 아버지께 남기고 말입니다."

---

* 수럿: 인도의 서부에 위치한 항구

제 9 장
임락의 이야기 계속되다

"처음 바다 세계로 들어가 육지가 눈에 띄지 않게 되자, 유쾌한 공포
감에 젖어 사방을 둘러보았습니다. 그리고 무한한 전망에 자신의 영혼이
확대되는 것 같은 생각이 들어서, 영원히 지칠 줄 모르고 주위를 바라 볼
거란 공상이 들었습니다. 그러나 얼마가지 않아서 이미 본 것만을 다시
볼 수 있는, 살벌하게 한결같은 물결만 바라보는 것이 지겹게 되더군요.
그래서 선실로 내려와 생각하기를 모든 나의 미래의 쾌락도 이처럼 역겨
움과 실망으로 끝나게 되는가하는 회의에 얼마동안 빠져 버렸습니다. 그
러다가 혼자 말했지요. 그러나 육지와 바다는 완전히 다른 것이다. 바다가
주는 변화는 정지와 움직임뿐이지만 육지에는 산이 있고 계곡이 있고 사
막과 도시가 있다. 육지에는 다른 관습과 상반된 의견을 가진 사람들이

살고 있다. 내가 자연에서는 찾지 못한다 해도, 사람이 살고 있는 곳에서는 변화를 발견할 수 있으리란 희망을 품어도 되겠다 생각했지요.

이런 생각으로 마음을 달랬지요. 그래서 항해하는 동안 자신을 위로했습니다. 한 번도 실행해 보지는 않았으나 가끔은 수부들에게서 항해술을 배우기도 하고, 또 내가 한 번도 후에 처한 일이 없지만 처하게 될 수도 있으리란 여러 상황 하에서 자신이 어떻게 처신해야 하겠단 계획 같은 것을 하면서 말입니다.

해상의 즐거움이 거의 다해갈 때쯤 우리는 안전하게 수럿에 상륙하게 됐습니다. 안전하게 돈을 챙기고 체면을 세우기 위해 일용품들을 사서는 내륙지역으로 들어가는 대상隊商들 틈에 끼었습니다. 어떤 이유에서인지 나의 여행 동료들은 내가 돈이 많다고 추측을 하였으며, 내가 이런 저런 질문을 하고 경이로움을 표하고 하는지라, 무지한 사람으로 알고서는 자기네가 속여도 괜찮을 애송이로 생각을 했지요. 그리고 그런 대가로 사기술이나 배우게 될 풋내기로 여겼습니다. 그들은 종들이 내 물건을 도둑질하게 내버려두었고, 관리들이 강제 징수하는 것도 내버려두었고, 거짓스러운 구실로 약탈당하는 것도 목격하고만 있었지요. 이 세상사에 밝다는 우월감에서 으쭐해지는 그런 것말고는 자신들에게는 아무런 이익도 없으면서 말입니다."

왕자가 말했다. "잠깐만, 인간이 그처럼 타락할 수가 있단 말이요. 자기에게는 아무런 소득도 없는데도 타인에게 해악을 입힐 만큼? 누구든 우월감을 느낄 때 기쁨을 느끼는 것은 쉬이 상상할 수 있으나, 당신의 무지는 단지 우연한 것이었고, 그대의 무지가 죄도 과오도 아니었거늘, 그것이 어찌 그들이 자기들을 자찬할 이유를 제공했단 말이요. 그리고 그들이 지녔으나 그대가 지니지 못한 지식을, 그대를 배반함으로써와 마찬가지로 그대에게 경고해 줌으로써도 효과적으로 과시할 수도 있었던 것 아닌가."

임락이 말했다. "자만심이란 결코 섬세할 정도로 분별력이 있는 것이 못되지요. 자만심이란 대단히 하찮은 이점이 있어도 충족되지요. 시기심이 기쁨을 느끼게 되는 것도 결국 마찬가지입니다. 단지 타인의 슬픔과 비교될 수 있을 때만이 시기심이 충족되는 것이지요. 그들은 내가 돈이 많으리라 생각하여서 상심했기에 나의 적이었고, 내가 연약한 존재란 것을 알고서 기뻐했기에 나를 박해하는 이들이었지요."

왕자가 말했다. "계속하시오. 나는 그대가 들려주는 얘기의 사실 여부는 의심치 않으나 옳지 않은 동기로 그들을 비난한다는 생각이 드오."

임락이 말했다. "이런 무리들에 섞여서 인도스턴의 수도 아그러*에 당도했는데, 그 곳은 무갈 제국의 황제가 흔히 상주하는 곳이지요. 나는 그 나라말을 배우는 데 전력하였지요. 수개월이 지나서는 식자들과 대화를 할 수 있게끔 됐지요. 어떤 이들은 시무룩하니 서름서름한 사람들이고, 어떤 이들은 고분고분하여 대화하기가 좋았지요. 또 어떤 이들은 그들 자신이 애써 배운 것을 남에게 가르쳐 주기를 꺼렸고, 또 어떤 이들은 자기네 학문의 목적이 남을 가르침으로써 위엄을 얻는 것임을 보여주기도 했습니다.

어린 왕자들을 가르치는 스승의 마음에 들어서, 나는 비상한 지식을 가진 자로 황제 앞에 소개되었습니다. 황제는 우리나라와 나의 여행 등에 관해서 여러 가지 질문을 했지요. 황제가 평범한 사람의 재능을 능가하는

---

* 아그러: 현재의 우타르 푸라데쉬에 해당하는 북인도 지역. 무갈 제국의 주요도시

어떤 말을 했는지는 지금 전혀 생각나지 않지만, 그 자리를 물러날 때에는 그의 지혜에 깊이 감동되고, 그의 덕에 크게 매료되었습니다.

나에 대한 신망이 대단히 높아져서 함께 여행했던 상인들이 자기네들을 궁전의 귀부인들에게 소개해 달라고 간청하더군요. 나는 그들의 뱃심 좋은 간청에 놀람을 금할 수가 없었고, 그들이 여행 중에 내게 한 짓거리에 대해서 점잖게 나무라 주었습니다. 그들은 냉정히 아랑곳 않고 내 얘기를 듣고서 수치심이나 슬픔의 흔적도 보이지 않았습니다.

그 다음에 그들은 뇌물을 제공하면서, 자기들의 간청을 들어달라고 재촉했으나 친절에서 우러나와 베풀 생각이 없는 것을 돈 때문에 해줄 생각도 또한 없었지요. 그래서 잘라 거절하였는데, 그것은 그들이 내게 해를 입혔기 때문이 아니라, 그들이 타인에게 해를 입히지 않게 하기 위함에서였지요. 왜냐하면 그들이 나의 신용을 이용하여 그들의 물건을 사는 사람들을 속이리란 것을 알고 있었기 때문이지요.

더 이상 배울 것이 없을 때까지 아그러에 머무른지라, 나는 페르시아로 여행을 떠났습니다. 그곳에서 고대의 장관인 유적을 많이 보았습니다. 그리고 여러 가지 삶의 편리한 시설들도 관찰했지요. 페르시아인들은 대단히 사교적인 국민이어서 그들의 집회는 국민성이나 관습을 눈여겨볼 수 있는 기회였으며, 여러 가지 다양성을 통하여 인간의 본성을 추적할 수 있는 기회를 매일 제공해 주었습니다.

그리고 페르시아에서 아라비아로 갔습니다. 이 나라 국민은 동시에 목가적이기도 하고 호전적이기도 한 나라이지요. 그들은 일정한 곳에 정주하지 않고, 재산이라고는 가축과 양떼뿐입니다. 그들은 선조에게서 대대로 전해 내려오는 전 인류와 벌이는 전쟁을 계속하는 국민이고, 그러면서도 상대국의 재물을 탐내지도 부러워하지도 않는 거지요."

제 10 장
임락의 이야기 계속 : 시에 대한 논술

　"어디를 가든지 내가 발견한 것은 사람들이 시詩를 최상의 학문으로
여기고, 사람이 천사 같은 성품에 대하여 품는 것 같은 그런 존경심으로
시를 대한다는 것을 알게 됐습니다. 아직도 내게 경이롭게 여겨지는 것은
거의 어느 나라고 예외 없이 가장 옛날의 시인이 가장 훌륭한 시인으로
여겨진다는 사실입니다. 아마 다른 모든 분야의 학문은 점차로 습득되는
지식이고, 시는 일시에 주어진 천부적인 재능이어서인지, 아니면 어느 나
라의 경우든 최초의 시가 독자를 새로움으로 놀라움에 빠지게 한 뒤, 최
초의 시가 우연히 받게 된 일치된 평가의 영예를 지속해서인지, 아니면
시의 영역이 언제나 변함 없는 자연과 열정을 묘사하는 것이어서 최초의
시인들이 가장 현저한 대상들을 묘사의 대상으로 삼아, 허구를 꾸밀 수
있는 가장 그럴법한 현상들을 다 사용한 나머지, 다음에 오는 시인들에게

서는 천편일률적 사건을 개작한다든지, 같은 이미지들을 새롭게 복합하는 일 외에는 아무것도 할 수 있는 일이 남겨지지 않게 되는 연유에서 그런지 모르지요. 그 이유야 어디 있든 간에, 대개의 견해인 즉은 초기의 시인들은 본질이 되는 자연, 즉 인간본성을 소유하고 있다면, 후기의 시인들은 인위적인 예술성을 지니고 있다 하겠습니다. 초기 시인은 활력과 창안에 뛰어나고, 후기의 시인은 우아함과 세련성에 있어서 출중합니다.

나도 이들 탁월한 무리들 속에 내 이름이 들어갔으면 하는 마음 간절했지요. 나는 페르시아와 아라비아의 모든 시인들을 탐독했기 때문에, 메카*의 사원에 매달아 놓은 책들을 외워서 암송할 수 있었습니다. 그러나 모방해서는 누구도 위대할 수 없다는 것을 곧 깨달았습니다. 나는 출중하고자 하는 욕망이 있어서 인간 본성과 삶 자체에 관심을 돌리지 않을 수가 없게 됐지요. 본성이 나의 주제가 되어야 했고, 사람들이 내 말을 들어주어야 했지요. 내가 직접 눈으로 보지 않은 것은 결코 묘사할 수가 없었고, 내가 관심이나 생각을 이해하지 못하는 사람들을 기쁜 감정이나 공포의 감정으로도 감동시키리라는 희망을 품을 수 없었습니다.

이제 시인이 되리란 결심을 한 이상, 나는 새로운 목적으로 모든 사물을 이해했습니다. 내 관심의 영역이 갑자기 확대되었습니다. 어떤 종류의 지식도 경시될 수가 없었습니다. 나는 이미지와 유사성을 찾아서 산이며 사막을 쏘다녔지요. 그리고 숲의 모든 나무며 계곡에 피어 있는 꽃들을 마음속에 담았지요. 나는 또 험준한 바위도 궁성의 뾰족탑도 꼭 같이 유의하여 관찰했지요. 가끔은 굽이굽이 흐르는 작은 시내를 따라서 발걸음을 옮기기도 했고, 또 가끔은 여름 하늘에 떠있는 구름의 변화도 눈여겨

---

* 메카: 회교의 성지

보았습니다. 시인에게는 어느 것 하나도 무익한 것이 없지요. 무엇이든 아름다운 모든 것이, 무엇이든 두려움을 자아내는 것이, 똑같이 시인의 상상력에는 친숙한 것이어야 합니다. 경이로울 만큼 거대한 것이나, 섬세할 만큼 작은 모든 대상에 시인은 익숙해야 합니다. 정원에 서있는 나무며, 숲에 살고 있는 짐승이며, 지하에 묻혀있는 광석이나, 하늘을 나는 유성까지도, 이 모든 것들이 무진장한 변화를 이루고, 그의 마음 속에 한꺼번에 담겨져 있어야 합니다. 왜냐하면 모든 개념들이 도덕적이고 종교적인 진실을 강화하고 장식하는데 유용한 것이니까요. 그리고 가장 많이 알고 있는 시인이 자기가 묘사하는 장면에 변화를 줄 수 있는 가장 큰 재능을 가지게 되지요. 그런 시인이야말로 요원한 암시와 의외의 가르침으로 독자의 마음을 만족시킬 수 있는 재능을 가장 많이 지니게 되는 것입니다.

그래서 여러 양상을 띠고 있는 자연을 주의 깊게 연구했고, 내가 탐색했던 모든 나라들이 나의 시적 재능에 무엇인가 이바지했지요"

왕자가 말했다. "그처럼 광범하게 개괄했음에도 분명 그대는 관찰하지 못한 것도 많겠군요. 나는 이날 이때까지 이 산 속에 둘러싸여 살아왔는데도, 문밖으로 걸음을 옮기면 전에 본 적이 없고 주의를 기울이지도 않았던 사물들이 으레 눈에 뜨이거든요"

임락이 말했다. "시인의 일이란 개체가 아닌 전체를 대상으로 고찰하는 것이고, 일반적인 특징과 보편적인 현상을 눈여겨보는 것이고, 시인은 튤립 꽃에 난 줄무늬를 세는 것도 아니고, 숲이 이루는 녹음에 나타나는 서로 다른 명암의 정도를 묘사하는 것도 아닙니다. 시인은 자연을 묘사하는데 있어 두드러지고 현저한 특징들을 보여주어서, 읽는 이에게 원형을 상기시켜 줄 수 있도록 해야 합니다. 밤을 지새다시피 하는 사람이나 주

의 깊지 않은 사람에게나 똑같이 분명한 특성들에 대해서 어떤 이는 주의
했을 수도 있고, 또 어떤 이는 지나쳤을 수도 있는 미세한 차이점들을 시
인은 무시해야 합니다.

　그러나 자연에 대한 지식을 얻는 것은 시인이 할 일의 절반에 불과합
니다. 시인은 모든 형태의 생활양식에 똑같이 친숙해져야 합니다. 시인의
본성은 여러 상황이 지니는 행복과 슬픔을 평가해야 할 필요가 있습니다.
시인은 여러 형태로 배합돼 있는 온갖 열정의 위력을 눈여겨보고, 발랄한
유년시절에서 노쇠하여 허약한 시대에 이르기까지, 각양각색의 제도에 의
해서 또 기후나 관습과 같은 우연한 영향력에 의해서 변화해 가는 것에
따라 정신적으로 변화하는 모습도 찾아내어 규명해야 합니다. 시인은 자
기 시대와 나라의 편견들을 모두 벗어버려야 합니다. 시인은 또 본질적이
고 불변의 상태에서 옳고 그름을 고찰해야 합니다. 시인은 일시적인 법칙
이나 여론 같은 것도 무시해야 하며, 일반적이고 초월적인 영원불변한 진
실을 주장해야 합니다. 그리하여 시인은 자신의 명성이 서서히 올라가는
것에 만족해야 하고, 당대의 칭송을 백안시할 수 있어야 하고, 자신의 주
장을 미래의 판단에 맡겨야 합니다. 시인은 인간본성의 해설자로서 글을
써야하고, 인류의 법을 제정하는 사람으로서 글을 써야 합니다. 그는 또
미래에 태어날 사상이나 예법을 주재±₩하는 이로 자신을 생각해야 하고,
시간과 공간을 초월하는 존재로 자신을 여겨야 합니다.

　여기서 그의 고역이 끝나는 것이 아니지요 시인은 여러 언어와 여러
분야의 학문을 알아야 합니다. 또 그의 문체가 그의 사상에 걸맞도록 무
한한 연습에 의하여 언어의 모든 섬세함과 조화의 아름다움을 이룰 수 있
도록 익혀야 합니다."

제 11 장
임락의 이야기 계속 : 순례의 암시

이제 임락은 열기가 치솟는 흥분을 느꼈다. 그래서 계속하여 자기 본업의 중요성을 더 강조해 나가려는 참인데 왕자가 외쳤다. "그만하시오 이제 알았소 어느 인간도 시인은 될 수가 없단 것을 말이오 당신 얘기나 계속 하시구려."

임락이 말했다. "시인이 된다는 것은 참으로 어려운 것이지요" 그러자 왕자가 응수하여 말했다. "그리도 어려운 것인 만큼 이제는 그 고난에 대해 더 듣지 않겠소 당신이 페르시아를 보고 나서 어디로 갔었는지 들려주시구려."

이에 시인이 다시 말했다. "페르시아에서 시리아를 지나 여행했지요 삼 년 동안 팔레스타인에 살면서 나는 유럽의 북부와 서부의 여러 나라 사람들과 교우했습니다. 이 나라들은 이제 온갖 세력과 모든 지식을 다 가지고 있지요. 그 나라들의 군대들은 무적이고, 이 나라들의 함대들은 지구상의 멀고 먼 지역까지도 지배합니다. 우리 왕국의 주민이나 가까운 이웃 나라 사람들하고 이들을 비교해 보면 그들은 거의 다른 류의 존재들인 것 같아 보일 정도입니다. 그 나라들에서는 구하여서 얻을 수 없는 경우를 찾기가 어려울 지경입니다. 우리가 들어보지도 못한 기술에 의해서 자기들의 편의나 쾌락을 위해 주야로 애써 생산하고, 천연의 풍토에 의해서 주어지지 않은 것은 무엇이고 교역을 통하여 공급을 받는 겁니다."

왕자가 물었다. "어떻게 해서 그 유럽인들은 그렇게도 강대하게 되었는가요? 그들이 그처럼 쉽게 아시아나 아프리카와 교역하고 정복하기 위해 찾아 들 수 있는데, 왜 아시아인이나 아프리카인들은 그 나라들의 해변을 침입해서 그들의 항구에 식민지를 세우고, 그들 본국의 제왕들을 지배하지 못한단 말인가요? 그들을 되 실어 가는 꼭 같은 바람이 우리를 그리로 데려갈 수 있는 것 아닌가요."

임락이 대답하였다. "그들이 우리보다 더 우세합니다. 그들이 더 지혜롭기 때문이지요. 지식이 언제나 무지를 지배하는 거지요. 그것은 바로 인간이 다른 짐승을 지배하는 것과 마찬가지입니다. 그러나 어떻게 해서 그들의 지식이 우리의 지식보다 더 한지, 그에 대해선 어떤 이유를 제시해야할 지 모르겠습니다. 단지 헤아릴 수 없는 지고한 존재의 의지말고는요."

왕자가 한숨을 지으며 말했다. "언제나 내가 팔레스타인을 찾아가서, 이 여러 나라 국민들의 거대한 군중들 속에 함께 섞일 수 있을까? 그런 행복한 순간이 도래할 때까지 그대가 내게 들려 줄 수 있는 것 같은 그런 설명으로 시간을 메우도록 하여 주오 그곳에 그렇게 많은 사람이 모이게 하는 동기에 대해 전혀 무지하지 않소 그곳을 지혜와 경건의 중심지로 생각지 않을 수 없소 그래서 여러 나라에서 가장 훌륭하고 지혜로운 이들이 끊임없이 그리로 빈번히 찾아가는 것이고"

임락이 말했다. "몇몇 나라에서는 팔레스타인에 여행객을 보내지 않는 나라도 있습니다. 이유인즉, 유럽의 여러 유식한 종파들은 입을 모아 순례여행이 미신이라 비난하고, 우스꽝스러운 것이라 비웃기 때문이지요"

왕자가 말했다. "그대도 알다시피 내가 지금까지 살아오면서 사람들의 다양한 의견을 접할 기회가 적었소 그들이 주장하는 바를 쌍방에서 다 들으려면 시간이 너무 오래 걸리겠소 그대는 그들에 대해 숙고해 본 만큼, 내게 결론을 들려주구려."

임락이 말했다. "성지 순례 여행이란 경건심에서 우러나오는 모든 다른 행위나 마찬가지로, 그것을 행하는 원칙에 따라서 합당한 것일 수도, 미신스러운 것일 수도 있는 것이지요 진리를 찾아서 오랫동안 지속하는 여행은 바람직하지 못합니다. 삶을 다스리는 데 필요한 그런 진실이란, 정직하게 추구하기만 하면 어디서나 발견되게 마련입니다. 장소의 변화는 경건함을 더하는 데 당연한 근거가 될 수는 없습니다. 왜냐하면 그것은 필경 마음을 흩뜨리는 상태를 유발하니까요 그러나 사람들이 큰 일들이 벌어졌던 장소를 찾아 나섰다가 돌아올 때는 그 사건에 대하여 더 강한 인상을 품고 돌아오는 만큼, 꼭 같은 종류의 호기심이 우리가 믿는 종교가 처음 시작한 그런 나라를 구경할 마음이 들게 하는 건 당연한 일입니다. 그리고 내가 믿기로는 누구든 그런 엄숙한 광경을 목격하면 분명히 어떤 성스러운 결심을 다짐하고야 말 겁니다. 지고한 존재가 다른 장소보다 어떤 일정한 장소에서 더 쉽게 화해될 수 있다고 생각하는 것은 부질없는 미신의 꿈이지만, 특정한 장소들이 우리의 마음에 비상한 방법으로 작용한다는 것은 시시각각의 체험에 의해서 정당화되는 견해입니다. 자기가 지닌 악이 팔레스타인에서는 성공적으로 패퇴될 수 있다고 상상하는 사람은 자신이 잘못된 생각을 했다는 것을 깨닫게 될 겁니다. 그러나 그런 우매한 생각을 지니고서도 거기에 갈 수는 있습니다. 하지만 자기가 지닌 악덕이 더 너그럽게 용서받으리라 생각하는 자는 자기의 이성과 종교를 동시에 수치스럽게 하는 것입니다."

왕자가 말했다. "그런 것들은 유럽 사람들의 특징이지요. 그런 점은 후에 생각해보기로 하지요. 지식이 어떤 효용성을 가져온다고 생각하나요? 그 나라 사람들은 우리보다 행복한가요?"

시인이 대답했다. "세상에는 너무나 많은 불행이 있지요. 그래서 타인의 상대적인 행복을 측량할 만큼 여가가 있는 사람은 거의 없다 할 수 있겠습니다. 누구나가 그 이상을 증식시키는데서 느끼게 되는 타고난 욕망에 의해서 증명되듯이, 지식은 확실히 쾌락을 느끼게 하는 한 가지 수단입니다. 무지는 단지 궁핍입니다. 거기선 아무것도 생겨날 수가 없는 것이지요. 무지는 공허의 상태여서 그 속에서 영혼은 견인력을 잃고, 부동의 상태여서 활동할 수 없는 것입니다. 그래서 이유는 알지 못하면서 우리가 배울 때에 항상 기쁨을 맛보고, 망각하게 될 때 슬퍼하는 겁니다. 그러므로 결론으로 말하려는 것은 이 배운다고 하는 천부의 중요성에 아무것도 위배되지 않을 경우에, 우리의 정신이 더 광범한 영역을 차지하게 되면 우리는 더 행복해 진다는 겁니다.

"삶의 세세한 편의들을 열거해 볼 때 유럽 사람들 쪽에 여러 가지 이점이 있음을 우리는 알게 됩니다. 우리를 쇠약하게 하고 죽어가게 하는 상처나 병을 그들은 치유할 줄 압니다. 그들이 피할 수 있는 기후의 혹독함을 우리는 겪어야 합니다. 우리가 손으로 해야 하는 여러 가지 힘든 일들을 단시간에 해치울 수 있는 기계들을 그들은 가지고 있습니다. 멀리 떨어진 장소 사이에 통신수단이 있어서, 한 친구가 다른 친구에게서 떨어져있다 할 수 없을 정도입니다. 그들의 지혜로운 생각은 모든 대중의 불편을 제거합니다. 그들은 산을 관통하여 길을 내고, 강에는 다리를 놓습니다. 그리고 일반인들이 생활하는 곳을 찾아가 보면, 그들의 거처는 더 편리하게 시설이 돼 있고 그들의 재산은 더 안전하게 관리됩니다."

왕자가 말했다. "그 같은 모든 편의 시설을 누리는 그들은 분명히 행복하다 할 수 있겠소 그 중에 내가 가장 부러운 것은 헤어져 있는 친구 사이에 의견 교환을 할 수 있는 편의뿐이기는 합니다만."

임락이 대답했다. "유럽 사람들이 우리보다 덜 불행하지요 그래도 그들이 행복한 것은 아닙니다. 인간의 삶이란 어디에서나 견디어야 할 것은 많지만, 즐길 것은 별로 없는 상황입니다."

제 12 장
임락의 이야기 계속

　왕자는 말했다 "내가 아직 믿을 수 없는 것은 인간에게 그처럼 인색할 정도로 행복이 배당됐다는 사실이오 내가 삶의 선택을 할 수 있다면, 기쁨으로 하루 하루를 채울 수 있으리라 자신하오 나는 누구에게도 해를 입히지 않을 거고 원한을 사지도 않을 거며, 어떤 슬픔도 덜어 주어서 감사의 축복을 받을 터이고, 지혜로운 자들 사이에서 친구를 사귈 것이고 정숙한 이들 사이에서 아내를 택할 겁니다. 그래서 기만이나 냉혹함에 빠질 수 있는 위험에 처하지 않을 거요 내 보살핌으로 아이들은 학식 있고 경건하게 되고, 그들이 어려서 받은 것을 내가 노년에 들게 될 때 보답해 줄 거구요 그의 관용에 의해 부유해지고, 그의 힘에 도움을 받은 도처에 있는 수천의 사람에게서 원조를 청할 수 있는 그를 무엇이 괴롭힐 수 있단 말이오? 그리고 다정히 서로 나누는 보호와 존경 속에서 인생이 평화롭게 흘러가지 않을 수가 있겠소? 이런 모든 것이 겉치레에 불과하여, 유익하기보다는 외양뿐인 것 같은 유럽인들의 세련된 도움을 받지 않고서도 성취될 수 있는 것 아니오? 그런 건 그만두고 우리의 여행을 계속해 나가 봅시다."

임락이 말했다. "나는 팔레스타인에서 아시아의 여러 지역을 지나 여행했지요. 더 문명된 왕국에서는 상인으로, 산에 사는 미개인들 사이에서는 순례자로 행세하면서 말입니다. 드디어 태어난 모국이 그립기 시작했고, 어린 시절을 보낸 곳에서 오랜 여행으로 쌓인 여독도 풀고 싶고, 나의 모든 모험담을 들려주어 옛날 친구들을 즐겁게 해주었으면 하는 마음이 들기 시작했지요. 종종 혼자서 공상하곤 했지요. 즐거웠던 인생이 동트는 시작의 시기에 함께 뛰놀며 지내던 이들이 인생의 황혼 길에서 내 곁에 둘러앉아 내 얘기를 듣고 감탄하고, 나의 충언에 귀 기울이기도 하는 광경을 자주 공상했습니다.

이런 생각들이 나의 마음을 사로잡게 되자, 나를 애버시니어로 가까이 데려가지 못하는 매 순간이 허비되는 것이라고 생각됐지요. 조급한 마음에도 불구하고, 서둘러 이집트로 가서 그 나라의 고대의 장려함을 조망하고 고대 학문의 유적을 탐사하느라고 십 개월을 지체하게 됐지요. 카이로에는 여러 민족이 뒤섞여 있는 것을 알게 되었습니다. 어떤 이들은 지식을 사랑하는 나머지 그리로 오고, 어떤 이들은 돈을 벌 희망을 품고 오고, 또 많은 사람은 남의 눈에 띄지 않고 자기 나름대로 무수한 군중들 사이에 파묻혀 살고자 하는 그런 욕망에서 그리로 몰려 왔습니다. 왜냐하면 카이로와 같이 인구가 밀집된 도시에서는 사회가 줄 수 있는 만족스러운 면과 외딴 곳에서 누릴 수 있는 은밀한 상태를 동시에 누릴 수 있기 때문입니다.

카이로에서 수에즈로 가서 홍해에서 배를 탔습니다. 연안을 따라가서 마침내 이십 년 전에 내가 출발했던 바로 그 항구에 닿았습니다. 여기서 대상들 틈에 끼어 고국에 다시 입국했지요.

그때 친척들의 포옹과 친구들의 축하도 기대했습니다. 그리고 부라는 것에 많은 가치를 부여하는 분이시기는 해도, 부친께서 나라의 행운과 명예에 보탬이 될 수 있는 아들을 흡족스럽고 자랑스런 마음으로 인정해 주셨으면 하는 바람도 있었습니다. 그러나 곧 확실히 깨닫게 된 것은 내 모든 생각이 헛된 것이었다는 겁니다. 부친께서 돌아가신 것이 이미 십 사 년 전 일이고, 재산은 형제들에게 분배하셨고, 그들은 다른 지방으로 모두 이사를 했더군요. 친구들은 대개 무덤에 묻혔고요. 살아남은 이 중에 어떤 이는 간신히 나를 알아볼 수 있었고, 더러는 나를 외국 문물에 젖어 타락한 사람으로 여기더군요.

세상풍파에 익숙한 사람은 쉬이 낙담하지 않는 법입니다. 시간이 좀 지나서 실망도 잊고 왕국의 귀족들에게 자신을 천거하기에 여념이 없었지요. 그들은 나를 자기들의 식탁에도 초대하고 내 얘기를 듣기도 했으나, 물러나게 했지요. 학교를 열었으나, 훈육하는 것은 금지됐지요. 그래서 결심하기를 조용한 가정생활에 안주하고 싶어서 내 담화를 즐겨듣던 한 여성에게 청혼을 했더니 물리치더군요. 이유인즉 부친이 상인이었기 때문인 겁니다.

간청을 하는 일도 거절을 당하는 일도 마침내 역겨워져서 영원히 세상에서 숨어버려 타인의 생각이나 변덕에 더 이상 내맡기지 않을 결심을 했지요. 그래서 희망이란 것에도 두려움이란 것에도 작별할 수 있게끔, 행복한 계곡의 대문이 열릴 때를 고대했습니다. 그 날이 마침내 왔고, 내가 행한 솜씨가 뛰어나 호감을 얻게 되었으니 기꺼이 영원한 유폐에 몸을 맡겼습니다."

래설러스가 말했다. "그대는 여기서 마침내 행복을 찾았나요? 숨김없이 말하시오. 그대는 그대가 처한 입장에 만족합니까? 아니면 다시 방황하여 탐색하기를 바랍니까? 계곡에 살고 있는 모든 이들은 자기네의 운명을 축하하며, 황제의 연례방문 때는 다른 사람들더러 자기네의 행복에 동참하라고 초대합니다."

임락이 말했다. "존경하는 왕자님이시여, 진실을 말씀드리지요. 이 은둔처에 들어온 시간을 비탄해하지 않는 당신의 신하는 한 사람도 없음을 압니다. 나는 남들보다 덜 불행할 뿐입니다. 왜냐하면 나의 마음은 이미지들로 가득하여 그것을 내 마음대로 변조하고 결합시킬 줄을 알기 때문입니다. 나는 기억에서 사라져가기 시작하는 지식을 되살리고, 지난날에 있었던 사건들을 회상하여 고독을 달랠 수가 있습니다. 그러나 이런 것도 모두 슬픔에 찬 상념으로 끝납니다. 즉 나의 박식도 모두 무용지물이지요. 나는 기쁨의 어느 것도 다신 맛볼 수가 없구나 하는 생각으로 마칩니다. 현재 순간에 대한 것말고는 아무런 인상도 지니고 있지 않은 정신을 소유한 여타 사람들은 사악한 격정으로 썩어 들어가든지, 영원한 공허로움이라는 우울에 빠져 넋을 잃고 앉아 있을 뿐이지요."

왕자가 말했다. "적대할 사람이 없는 그들을 무슨 격정이 해칠 수가 있겠소? 우리가 처한 곳에선 무기력이 악의를 배제하고, 모든 시기하는 마음이란 쾌락의 공동체에 의해서 억제되는 것 아니오?"

임락이 말했다. "물질적인 소유를 위한 공동체는 있을 수 있지요. 그러나 사랑이나 존경을 공유하는 공동체는 결코 존재할 수가 없지요. 으레 한 사람이 다른 이보다 기쁨을 더 맛보게 마련입니다. 자신이 멸시 당하는 것을 아는 이는 언제나 시기하게 마련이고, 자신을 경멸하는 사람들 사이에 살게 되도록 선고받게 되면, 그는 더욱 시기하고 악의를 품게 되지요. 그들 자신들이 처참하다고 느끼는 그런 상태로 남들을 유혹하는 그런 초대는 절망적인 슬픔에서 오는 본능적인 악의에서 나오는 것입니다. 그들은 자신과 남들에 대해서도 지겨운지라 새로운 동료에게서 고통을 덜기를 기대하는 것이지요. 그들은 자기네가 어리석어서 박탈당한 자유를 시샘하고 모든 인간들이 자기들처럼 유폐 당하는 것도 기꺼이 볼 겁니다.

그러나 나는 이런 죄악에 완전히 결백합니다. 내가 설득해서 누구도 자신이 비참하다고 말할 수 없습니다. 포로가 되게 해달라고 매년 와서 애걸하는 무리들을 나는 측은하게 바라봅니다. 그리고 그들에게 위험을 경고해 주어도 법에 저촉되지 않았으면 하고 바랄 지경입니다."

왕자가 말했다. "친애하는 임락이여, 그대에게 나의 마음을 활짝 열겠소. 나는 오랫동안 행복한 계곡에서 탈출할 것을 숙고했소. 나는 사방에 있는 산들도 조사하였으나, 자신이 철저히 감금된 것을 알 수 있을 뿐이었소. 이 감옥을 뛰쳐나갈 수 있는 방법을 가르쳐 주구려. 그대를 나의 도주의 반려자로 나의 산보의 안내자로 삼고, 내 운명의 동참자로 삶의 선택에 있어서 유일한 감독자로 삼을까 하오."

시인이 대답했다. "왕자님이시여, 그대가 탈출하기는 어려울 겁니다. 또 아마도 자신의 호기심에 대해서 곧 후회하게 될 겁니다. 그대가 계곡의 호수처럼 잔잔하고 평온하리라고 마음속에 그리는 저 세상은, 폭풍으로 풍랑이 일고 회오리바람으로 들끓는 곳인걸 알게 될 겁니다. 왕자께선 광란의 파도에 가끔 압도될 거고, 배신의 암벽에 가끔은 부딪칠 겁니다. 비행과 기만에 빠져, 경쟁과 번민에 사로잡혀 왕자께선 천 번이나 이 평화의 영지를 갈망할 거구요. 두려움에서 해방됐으면 해서 희망하는 것을 서슴지 않고 청산할 겁니다."

왕자가 말했다. "내가 세운 목적을 단념케 할 생각은 마시오. 나도 그대가 실제로 목격한 것을 몸소 꼭 보고 싶소. 그리고 당신도 이 계곡이 싫증난 만큼 분명한 것은 그대의 옛날의 상태가 이보다는 더 나았었단 것이오. 내 실험결과가 어떤 것이 되든, 나는 세상사람들의 갖가지 양상을 내 눈으로 보아 판단 내리고 숙고하여 자신의 삶의 선택을 할 결심이오."

임락이 말했다. "왕자께선 나의 설득보다 더 강한 제약들에 의해 방해를 받고 있지요. 그러나 당신의 결심이 섰으니 포기하라고 충고하지는 않습니다. 근면과 재간 앞에 불가능한 일은 드문 법이지요.

제 13 장
래설러스 탈출의 수단을 찾다

왕자는 이제 총신을 물러나 쉬게 했으나, 경이롭고 신기로운 이야기는 그의 마음을 흥분으로 들뜨게 했다. 왕자는 들은 이야기를 심사숙고하여 다음날 아침에 할 여러 가지 질문을 궁리했다.

왕자의 불안이 이제는 대개 제거되었다. 자기의 생각을 들려줄 수 있는 친구가 생겼고, 자신의 계획에 도움이 될 수 있는 경험을 가진 사람을 얻은 것이다. 말 못하는 초조로 가슴이 부풀어오르도록 더 이상 운명 지워지지 않았다. 왕자는 또 생각하기를 그러한 동료와 함께라면 **행복한 계곡**도 참고 견딜 수 있으리라 여겨졌고, 또 그들이 함께 세상을 순회하게 되면 더 이상 바랄 것이 없으리란 생각이었다.

며칠이 지나서 찼던 물이 빠지고 땅이 말랐다. 왕자와 임락이 남의 눈에 띄지 않고 담화를 나누기 위해 함께 산책을 나섰다. 생각이 항상 날개 달린 듯이 날아오르는 왕자는 대문을 지나치면서 슬픔에 잠긴 표정을 하고, "왜 그리도 너는 튼튼하고, 왜 인간은 이리도 연약한 것인가?"라 했다.

그의 동료가 말했다. "인간은 연약하지 않습니다. 지혜는 힘과 동등하지 않고 그 이상입니다. 역학에 통달한 사람은 단순한 힘을 비웃지요 나도 저 문을 부술 수는 있지만, 단지 비밀리에 할 수 없을 뿐입니다. 다른 방법이 시도되어야 합니다."

그들이 산기슭을 따라 걷고 있던 중 토끼들이 장마에 그들이 살던 굴에서 쫓겨나서 덤불 사이에 숨을 곳을 마련하였고 그 뒤에 굴을 만들어 경사지게 위로 향하고 있었다. 임락이 말했다. "옛부터 전해 내려오는 견해인즉, 인간의 이성은 짐승들의 본능에서부터 많은 기술을 빌려왔던 것입니다. 그러므로 우리가 토끼에게 배운다 해서 자신이 격하된다고 생각 맙시다. 꼭 같은 방법으로 산을 꿰뚫어 우리도 탈출할 수가 있을 겁니다. 산꼭대기가 중간에 걸려 있는 곳에서부터 시작하여 위로 파 올라가면, 마침내 돌출된 부분을 넘어 밖으로 나갈 수가 있을 겁니다."

이 제의를 듣자 왕자의 눈이 기쁨으로 빛났다. 실행은 용이했고 성공은 확실했다.

잠시도 허송할 수가 없었다. 아침 일찍 서둘러서 갱도를 파기에 적당한 장소를 물색하러 나섰다. 벼랑이며 가시 돋친 관목 사이로 힘겹게 기어올라갔지만 계획에 합당하다 생각하는 장소를 찾아내지 못하고 돌아왔다. 둘째 날 셋째 날도 같은 식으로 같은 좌절을 맛보며 보냈다. 그런데 나흘 째 되던 날 잡목으로 가려진 작은 틈을 찾아냈다. 여기에서 자기들의 실험을 하기로 마음먹었다.

임락은 돌을 깨고 흙을 파낼 수 있는 장비를 마련하여, 다음 날 그들은 작업에 착수했는데 열성보다는 진지함으로 임했다. 그들은 곧 과로하여 지쳤고 헐떡이며 풀 위에 주저앉았다. 왕자는 잠시나마 기가 죽은 것 같았다. 동료가 말하기를 "왕자님, 실행하여 몸에 익히면 더 오래 우리가 노력을 계속하여 지탱할 수가 있을 겁니다. 그리고 보십시오, 우리가 얼마나 진척을 이루었는지. 그리고 우리의 수고가 언젠가 끝나게 되는 것을 알 겁니다. 큰 일들이란 힘에 의해서가 아니고 인내에 의해서 이루어졌지요. 저기 저 궁성도 돌 하나 하나로 축조된 겁니다. 그러나 얼마나 높고 방대합니까. 힘차게 매일 세 시간을 걷는 이는 칠 년 후면 지구를 한 바퀴 도는 거리와 맞먹는 거리를 통과할 겁니다."라고 했다.

그들은 하루도 빠지지 않고 작업을 하러가곤 했다. 그리고 얼마 후에 바위사이에 갈라진 틈이 눈에 띄었다. 그래서 방해받지 않고 멀리까지 통과할 수가 있었다. 래설러스는 이것을 좋은 징조로 여겼다. 임락이 말하기를 "이성이 제시하는 것말고는 다른 어떤 희망이나 공포로 당신의 마음을 산란케 하지 마시오. 당신이 길한 징조로 기뻐한다면, 마찬가지로 흉한 전조로 공포에 사로잡힐 것입니다. 그리되면 당신의 모든 삶이 미신의 노예가 되고 말 겁니다. 우리의 작업을 용이하게 해줄 수 있는 것은 무엇이든 징후에 그치는 것이 아니라 성공의 원천이 되는 거지요. 이런 일은 적극성을 띤 결심에 흔히 수반되는 뜻밖의 즐거운 일이지요. 계획하기에 어려운 점이 많았던 여러 일들이 실행에 옮기는 데는 용이한 걸로 판명되는 경우가 많지요"

제 14 장
래설러스와 임락이 뜻밖의 방문을 받다

그들이 중간 부분까지 길을 뚫고서는 자기들의 고역을 자유의 임박으로 달랠 수 있게 됐을 때, 한번은 왕자가 바람을 쏘이며 기분전환을 하러 내려 왔더니, 동굴의 어귀 앞에 여동생 네카야가 서 있었다. 깜짝 놀라 아찔하여 발걸음을 우뚝 멈추었으니 자신의 계획을 말해주기도 두렵고, 또 그것을 감추기도 절망스러웠다. 잠시 지나서야 결심하기를 여동생의 충절스러움을 믿어 숨기지 말고 들려주어서, 동생이 비밀을 지켜줄 것을 확약 받기로 했다.

공주가 말했다. "제가 염탐을 하러 여기 왔다고 상상하지 마세요 오래 전부터 창문으로 지켜보았어요. 그대와 임락이 매일 똑같은 지점으로 걸음을 옮기는 것을요. 그래도 더 시원한 그늘이나 더 향기 짙은 둑을 찾아가리란 것말고는 더 좋은 이유가 있을 거라고는 상상을 못했어요. 또 오라버니와 이야기를 나누겠다는 것 외에는 아무런 생각 없이 뒤따라 왔어요. 의심이 아니라 정에 끌리어 그대의 거동이 발각되었으니, 이 같은 발견의 호기를 놓치지 않게 해주세요. 저도 오라버니와 마찬가지로 이 갇힌 생활에 싫증납니다. 그리고 바깥 세상에서 무슨 일이 일어나며 어떤 일이 용납되는지 알고 싶은 욕망 못지 않습니다. 이 무미건조한 정적으로부터 당신과 함께 벗어나게 해주세요. 아마도 저를 남겨두고 가시면, 이곳은 더욱 싫은 곳이 되겠지요. 제가 동반하는 걸 거절하실 순 있어도, 제가 뒤쫓는 것은 막지 못하시겠지요."

어느 공주보다 네카야를 더 사랑한 왕자는 동생의 청을 거절할 마음이 들지 않았고, 먼저 자발적으로 의사를 나타내 자신의 신뢰감을 보일 수 있었던 기회를 잃은 것이 안타까웠다. 그래서 공주도 그들과 함께 계곡을 떠날 수 있도록 합의했다. 그리고 작업이 진행되는 동안 또 다른 탈락자가 우연히 아니면 호기심에서 산까지 그들을 미행하지 않도록 공주가 지켜보도록 했다.

드디어 그들의 노고가 끝났다. 돌출부 너머에 빛이 보였다. 그래서 산 정상으로 나와서 나일강을 바라보았는데, 아직은 가느다란 줄기를 이루어 그들 발 아래에서 굽이굽이 흐르고 있었다.

왕자는 희열에 넘쳐 사방을 둘러보고 여행의 온갖 기쁨에 기대가 벅찼고, 생각은 이미 부왕의 영토를 넘어서 어쩔 줄 몰라했다. 임락은 자신의 탈출이 대단히 기뻤으나, 그가 전에 겪었고 또 싫증이 났었던 바깥 세상에서 기쁨을 맛보리란 기대는 적었다.

래설러스는 더 넓은 전망을 보고서, 어찌나 기뻤던지 계곡으로 곧 돌아갈 마음을 먹지 못했다. 왕자는 여동생에게 통로가 열렸고, 그들이 출발할 채비를 하는 일말고는 아무것도 남지 않았다고 말해줬다.

제 15 장
왕자와 공주가 계곡을 떠나 많은 경이를 보다

　왕자와 공주는 상업지역에 가면, 현금으로 바꿀 수 있는 충분한 보석류를 가지고 있었는데, 임락의 지시에 따라 그것들을 자기네 옷섶에 감추고, 다음 보름날 밤에 모두 함께 계곡을 떠났다. 공주는 단 한사람의 시녀만 대동하고 있었는데, 시녀는 어디로 가는지조차 모르고 있었다.

　그들은 굴을 기어올라가 반대편에 가서는 내려가기 시작했다. 공주와 시녀는 사방으로 눈을 돌렸고, 그들의 시야를 가로막는 것이 아무것도 없어서 암울한 벌판에서 길을 잃어 위험에 빠진 것 같은 생각이 들었다. 그들은 발걸음을 멈추고 몸을 떨었다. 공주가 말하기를 "끝이 보이지 않는 여행에 오른 것 같아 두렵고, 낯선 사람들이 사방에서 몰려올 것 같은 광대 무변한 평원으로 뛰어든 것 같아 두렵습니다."고 했다. 왕자도 거의 비숫한 생각이었으나 마음으로는 그런 감정을 감추는 것이 더 사내답다고 생각했다.

임락은 그들의 공포에 웃음을 지으며 염려말고 앞으로 나가라고 격려했다. 그래도 공주는 계속 망설이는 마음으로 나아가 마침내는 되돌아서기에는 너무 멀리까지 부지불식간에 이끌려갔다.

아침이 됐을 때 그들은 들판에서 몇몇 목동을 만났다. 그 목동들이 그들 앞에 우유와 과일을 내놓았다. 공주는 자기를 맞을 준비가 되어 있는 왕궁도 자기 앞에 진미가 가득 차려진 식탁도 보이지 않는 것에 대해 의아하게 여겼으나, 기진맥진하고 시장한 참이어서 우유를 마시고 과일을 먹으니, 그 음식이 계곡에서 나는 산물보다 더 맛 나는 것으로 여겼다.

그들 모두가 어려움이나 난관에 익숙하지 않았지만, 또 그들이 실종된다 해도 추격 당할 염려가 없는지라 편안한 여로를 따라 앞으로 나아갔다. 며칠이 지나서 그들은 인구가 밀집한 지역에 당도하게 됐고 다양한 예절, 신분, 생업을 보고서 동료들이 내는 감탄의 얘기에 임락은 흐뭇한 기분이 들었다.

그들이 하고 있는 옷차림이 감추는 것이 있다는 의심이 들게 할 수 있는 것이 아니었으나, 왕자는 어딜 가든 사람들이 복종하기를 기대했고, 공주는 자기 가까이 오는 이들이 자기 앞에서 부복하지 않는 것에 아연해했다. 범상치 않은 행동으로 자신들의 신분을 노출시키는 경우가 있을까 염려했기 때문에 대단한 경계심을 품고서 임락은 그들을 지켜보지 않을 수가 없었다. 그래서 처음 당도한 마을에 몇 주일을 머물러 있게 하여 그들이 서민들의 모습에 익숙해지도록 기다렸다.

이 방랑하는 왕족은 당분간 자기들의 지체 높은 신분을 보류하고, 단지 관대함과 예절바름이 가져다 줄 수 있는 그런 배려만을 기대해야 한다는 것을 점차로 깨닫게 되었다. 그래서 임락은 여러 차례 주의를 시켜서 그들이 항구의 어수선스러움이나 상업에 종사하고 있는 이들의 투박함 같은 것을 견딜 수 있도록 대비한 후에 그들을 해변으로 데리고 갔다.

온갖 일들이 한결같이 새로워 보이고 왕자와 공주는 어느 곳에서나 항상 만족스러워 했기에 더 이상 여행을 계속해 나가고자 하는 엄두를 내지 않고 몇 개월을 그 항구에서 머물렀다. 임락도 그들이 머무는 것에 불만스러워하지 않았는데, 세상에 익숙하지 못한 그들을 외국의 위험스러운 상황에 바로 노출시키는 것이 안전하지 못하다고 생각했기 때문이었다.

마침내 자기네의 정체가 드러날까봐 임락은 두려운 생각이 들기 시작해 길 떠날 날을 잡으라고 제의했다. 그들 자신이 판단을 내릴 구실이 없는지라 모든 계획은 임락이 지시하도록 맡겼다. 그래서 임락은 수에즈로 가는 배표를 샀다. 시간이 되었을 때 공주가 배를 타도록 하는데 큰 어려움을 겪었다. 그들은 신속하고 순조로운 항해를 한 후 수에즈에서 육로로 카이로를 향해 여행했다.

제 16 장
카이로에 들어가 모든 이들이 행복한 것을 보다

이 도시에 가까워지면서 이들 이방인들은 온통 놀라움으로 어쩔 바를 몰라했다. 임락이 왕자에게 말했다. "이 도시는 여행자들과 상인들이 세계 곳곳에서 몰려오는 곳입니다. 여기서 각양각색의 사람, 온갖 직종의 사람을 만날 겁니다. 여기선 상업이 명예로운 것입니다. 나는 상인으로 행세할 터이니, 당신들은 호기심 외에는 다른 여행의 목적이 없는 이방인으로 살아가도록 하세요. 우리가 돈 많다는 것이 곧 알려질 것이고, 이름이 나게 되면 우리가 알고 싶은 모든 사람에게 접근할 수 있는 기회를 얻을 수 있을 겁니다. 당신들은 모든 양상의 인간상을 보게 될 거고 한가롭게 삶의 선택을 할 수 있을 겁니다.

이제 그들이 시내로 들어갔을 때 소음 때문에 정신을 잃을 지경이고,

군중들 때문에 마음이 상할 지경이었다. 가르침을 받았으나 그들의 버릇을 아직 압도할 만한 것이 못되어, 자신들이 거리를 따라 걸으면서 남들의 시선을 받지 않고 지나칠 수 있는 것과 아무런 존경이나 주의를 받지 않고 최하층 사람들을 만날 수도 있음을 알고 의아해 했다. 공주는 처음에 천민들과 같은 수준으로 여겨진다는 생각에 견딜 수가 없어서 며칠을 자기 방에 머물면서 계곡의 궁전에서처럼 시녀 페쿠아가 시중들도록 했다.

임락은 사람들의 거래를 알고 있는 지라, 다음 날 패물의 일부를 처분하여 집을 하나 세내고 대단히 훌륭하게 꾸몄더니 순식간에 대호상으로 여겨졌다. 그의 정중함이 많은 사람을 끌어 들이고, 그의 너그러움이 많은 종자들로 하여금 그의 호의를 얻으려 하게 했다. 그의 식탁에는 여러 나라 사람들이 자리하여 북적댔고, 그들은 그의 박식함을 칭찬하며 그의 호의를 구했다. 임락의 일행은 그 대화에 가담할 수가 없어서 그들의 무지나 놀람을 발견할 수 없었으나, 후에 그들의 언어에 대한 지식을 습득하게 되어 점차로 세상에 첫 발을 내딛게 됐다.

왕자는 자주 들은 훈시에 의해 돈이란 것의 용도와 성질을 배웠으나, 상인들이 작은 금은 쇠붙이를 가지고 뭘 하는 것인지 여자들은 오랫동안 이해하지 못했고, 또 왜 그토록 쓸모가 없는 물건들이 생활 필수품과 같은 값으로 여겨지는 지도 알 수가 없었다.

그들은 이 년간 그 나라 말을 익혔고 그러는 동안 임락은 여러 신분의 사람들과 여러 가지 상황에 처한 사람들을 접하도록 주선해 주었다. 임락은 운명이나 처신에 있어서 평범하지 않은 여러 사람과 사귀게 됐다. 또 그는 호화로운 생활을 하는 이들과 검소한 생활을 하는 이들도 두루 찾아

사귀고, 한가로운 이들과 분주한 이들, 상인들과 식자들도 두루 자주 사귀었다.

왕자는 이제 유창하게 대화를 할 수 있게 됐고, 낯선 이들과 교우함에 있어서 지켜야 할 필요가 있는 주의점을 익힌지라, 임락을 동반하여 유흥장과 많은 사람이 모이는 집회 같은 데도 드나들기 시작해서 스스로 **삶의 선택**을 할 수 있게 됐다.

처음 얼마 동안은 모든 사람이 다 똑같이 행복해 보여서 삶의 선택이 필요치 않은 걸로 왕자는 생각했다. 어디로 향하든 왕자는 오직 유쾌함과 친절함을 접하게 되고, 들리는 것은 기쁨의 노래든지 태평한 웃음소리뿐이었다. 왕자는 온 세상이 온통 풍족함으로 넘치고, 부족하거나 공과에 의해서 어떤 것도 보류되는 것이 없다고 믿기 시작했다. 그는 또한 모든 이의 손이 쏟아지는 소나기처럼 후하고, 모든 사람의 마음이 자비심으로 녹아난다 믿어서 "도대체 누가 비참한 지경에 빠지도록 방치될 수가 있단 말인가?"고 말했다.

임락은 왕자가 즐거운 착각에 빠지게 버려 두었다. 경험 부족에서 오는 희망을 산산이 조각 내고 싶은 생각이 없었기 때문이다. 그러던 어느 날 한참 동안 말없이 앉아 있던 왕자가 말했다. "무슨 이유에서 내가 내 친구들보다 더 불행한지 알 수가 없다. 그들은 언제나 변함이 없이 유쾌한데 내 마음은 안절부절 하여 편치 않다. 내가 더 없이 갈구해왔던 것인데도 기쁨에 만족할 줄은 모른다. 내가 환희하는 무리들 사이에 살아도 어울림을 즐겨서라기보단 혼자되기를 피하기 위함이요, 소리 높여 즐거이 떠드나 자신의 슬픔을 감추기 위함이다."

임락이 말했다. "누구든지 자기 마음을 살펴보아서 다른 이의 마음속에 무슨 생각이 지나고 있는지를 짐작하는 겁니다. 그대의 즐거움이 허울만의 것이라 느낄 때 그대 동료들의 기쁨이 진실되지 못하다고 의심 들게 하지요. 시기란 대체로 서로 주고받는 것이지요. 오래 지나서야 행복이란 것이 결코 발견되지 않는 것임을 우리가 깨닫게 되지요. 남들은 행복을 지니고 있다고 믿는 것은 자신이 행복을 얻었으면 하고 희망을 생생하게 간직하기 위함이오. 왕자께서는 지난밤 그 무리 사이에서 마치 근심이나 슬픔에 접하지 않은 평화로운 곳에 살고 있고, 높은 차원의 존재들에게나 어울릴 것 같이 활기 있는 기운이 돌고, 날개돋친 듯이 흥겨워 보였습니다. 그러나 왕자님, 제발 믿으소서. 그들 중에 외로이 혼자 있게 될 때 자기를 명상이란 횡포에 빠져들게 하는 그런 순간을 두려워하지 않는 사람은 한 사람도 없습니다."

왕자가 말했다. "나의 경우에 맞는 말인 만큼, 다른 사람들 경우에도 맞는 말일 수 있겠소. 그래도 인간의 일반적인 불행이 무엇이든 간에 어떤 상황은 다른 상황보다 더 행복한 것이고, 확실히 지혜로움이 **삶의 선택**에 있어서 최소의 악을 택하도록 우리에게 가르쳐 주는 것이오."

임락이 대답했다. "선이나 악의 원인은 너무나 다양하고, 불확실한 것이며 또 너무 자주 서로 뒤엉켜지고, 인간 관계에서 잡다할 뿐만 아니라 또 예측할 수 없는 사고에 의한 것인 만큼, 선호라는 논리로 따져 다룰 수 없는 이유에 바탕을 두어서, 자기의 여건을 확정지으려는 사람은 평생을 탐색하고 심사숙고하는 가운데 살다가 죽어가야 하는 것입니다."

래설러스가 말했다. "그러나 우리가 존경심과 경이로움으로 귀기울이는 지혜로운 사람들을 볼 때, 그들은 자기들에게 가장 행복하다고 생각하는 삶의 방법을 자신들을 위해 분명 선택했습니다."

시인은 말했다. "선택에 따라서 살아가는 사람은 극히 드뭅니다. 누구나 예기치 않게 작위하는 그런 원인에 의해 현재의 상태에 처하게 되는 것이고, 그것에 항상 순응할 마음도 들지 않는 겁니다. 그런 만큼 자기보다 자기 이웃의 운이 더 좋다고 생각하지 않는 이를 만나기도 드문 일이지요."

왕자가 말했다. "한 가지 흡족스러운 것은 나의 출생 자체가 적어도 다른 사람들보다 한 가지 유리한 점이 있다고 생각해요. 즉 나 혼자서 결정을 할 수 있게끔 해준 것 말이오. 여기 내 앞에 온 세상이 펼쳐져 있어 나는 한가로이 그 세상을 살펴볼까 하오. 확실히 행복은 어디에선가 발견될 것이오."

제 17 장
왕자가 활기 있고 즐거운 젊은이들과 사귀다

래설러스는 다음 날 일어나 삶에 대한 실험을 시작할 결심을 했다. 그는 "젊음은 기쁨의 시간이다. 그들의 일이란 오직 욕망을 충족시키는 것인 만큼, 계속 이어지는 향락으로 시간을 보내는 젊은이들에게 가담하겠다."고 외쳤다.

왕자는 사교계에 쉬이 받아들여졌으나 며칠이 지나 지치고 역겨워하며 돌아왔다. 그들의 즐거움이란 영상이 없는 것이고, 그들의 희희낙락함은 목적이 없고, 그들이 맛보는 쾌락은 조잡하고 관능적이어서 정신이 들어 있지 않았으며, 그들의 행위는 사납고 비열하여 질서와 규범을 비웃고 있었다. 힘있는 자의 눈살 찌푸림이 그들의 기를 꺾이게 했고, 지혜로운 이들의 눈빛이 그들을 부끄럽게 했다.

왕자는 곧 결론 내리기를 자기 자신이 수치스럽게 여기는 그런 인생의 경로를 걸어선 결코 행복할 수 없다고 생각했다. 왕자는 계획하지 않고 행동하고 단지 시시때때로 슬퍼하거나 즐거워한다는 것이 이성 있는 존재에게는 합당치 못하다고 생각했다. 왕자는 말했다. "행복이란 공포도 불확실성도 배제된, 실속 있고 영속적인 어떤 것이어야 한다."

그러나 왕자의 젊은 친구들은 솔직하고 예절바르게 왕자를 대해 왕자의 신망을 얻은 만큼, 경고와 타이름을 건네지 않고선 그들을 떠날 수 없었다. 왕자가 말했다. "친구들이여, 나는 우리의 행동과 장래에 대해 심사숙고해 보았오. 우리의 이익을 잘못 판단한 거라고 생각하오 사람의 초년은 만년을 위한 준비를 해야 하는 거요. 전혀 생각하지 않는 이는 결코 지혜로울 수가 없소 끊임없는 경망스러움은 무지로 끝나고 무절제는 단 한 시간 동안은 영혼에 불을 지피나 우리의 생명을 단축시키거나 비참하게 만드는 거요. 잊지 맙시다. 젊음이란 오래 지속되는 것이 아니란 것을. 더 성숙한 노년시대에 환상의 유혹이 끝나고, 쾌락의 허깨비가 우리 주위에서 더 이상 춤추지 않게 될 때에, 지혜로운 이들의 존경이나 선을 행하는 수단말고는 아무런 위안도 얻지 못할 것임을 깊이 새겨 봅시다. 그러므로 중지할 수 있는 것이 우리의 능력 안에 있을 때 중지합시다. 언젠가는 나이 들어 늙어야만 하는 사람으로 살아갑시다. 어리석은 짓에 의하지 않고서는 지난날을 헤아리지 못하고, 방탕이 초래한 병고에 의해서만 자기들의 지난 세월의 건강의 호사스러움을 상기하게 되는 것은 그들에게 재난 중에도 가장 끔찍스러운 재난이 될 겁니다."

그들은 얼마동안 말 없이 서로를 바라보았다. 그리고 일제히 그칠 줄 모르는 비웃음을 웃어 왕자를 내쫓았다.

자신의 마음의 자세가 옳았고 자신의 의도가 친절에서 나온 것이란
자아의식은 조롱에서 받은 공포감에 대항하기에 충분치 못했다. 그러나
왕자는 마음의 안정을 되찾고 자기의 탐색을 떠나갔다.

제 18 장
왕자가 지혜롭고 행복한 사람을 만나다

    하루는 왕자가 거리를 걷고 있는데 큰 건물이 눈에 띄었다. 활짝 열려진 문들을 통해 누구나 건물 안으로 들어갈 수가 있었다. 왕자도 사람들의 물결을 따라 들어갔더니 연설을 하는 강당이 학교인 것을 알게 됐다. 그곳에서는 교수들이 청중들에게 강론을 하는 것이었다. 다른 이들보다 돋보이는 한 현인에게 왕자의 눈이 멎었는데, 그는 격정을 다스리는 것에 대해 대단히 정력적으로 강론을 했다. 그의 모습은 존경심을 자아낼 만했고, 그의 행위는 우아했으며, 발음은 명료했으며, 선택하는 어휘는 세련된 것이었다. 대단한 감수성의 힘과 다양한 예시를 들어서, 저급한 인간기능이 상급의 기능을 지배하게 될 때 인간의 본성 자체가 타락하여 저하한다는 것을 그는 보여줬다. 또 격정의 모체인 환상이 정신의 영역을 침해할 때, 무질서한 지배라는 당연한 결과를 초래하여 불안과 혼란만이 따른다고 했다. 환상이란 모체는 지성이란 요새를 반도들에게 넘겨주어, 그들의 최고 합법적인 군주인 이성에 항거하여, 격정으로 하여금 반란을 일으키게 한다고 그는 열거했다. 연사는 이성을 태양에 비유했고, 그로부터 비치는 빛은 변함 없고 한결같이 지속된다고 했고, 환상은 혜성에 비유해서 빛은 발하나 시시각각으로 변하는 빛을 띠고, 운행의 경로가 일정치 않으며, 방향을 종잡을 수 없는 것이라고 했다.

연사는 격정의 정복에 대해서 때때로 제시된 여러 가지 교훈적인 얘기를 설파했고, 격정을 물리쳐 승리한 경우 사람은 더 이상 공포의 노예도 아니고 희망이란 것에 사로잡힌 바보도 아니어서, 더 이상 시기 때문에 파리해 지지도 않고 분노로 타오르지도 않으며, 연약함으로 거세되지도 않으며 슬픔으로 우울해하지도 않는다고 했다. 그런 사람은 삶의 소란스러움이나 은밀함을 통하여 태연자약하게 걸어 나아가고, 그것은 마치 맑은 하늘이나 폭풍우 이는 하늘에서 한결같이 태양이 경로를 쫓는 것과 같다고 했다.

연사는 속세의 사람들이 선이나 악이라고 이름 붙이는 삶의 양태나 우연성에 대해서 전혀 개의치 않은, 고통이나 기쁨에 의해 동요되지 않았던 많은 영웅들의 예를 열거했다. 그는 청중들에게 권고하기를 자신들의 모든 편견을 버리라고 했으며 악의나 불운의 화살에 대비해서 난공불락의 인내심으로 자신들을 무장하라 권했고, 마지막으로 이렇게 하는 것만이 유일한 행복이며 이러한 행복은 어느 누구의 능력으로도 가능한 것이라고 결론지었다.

래설러스는 그처럼 탁월한 인물이 주는 가르침에 어울리는 경외스러운 마음으로 연사의 얘기를 경청하고 문간에서 그를 기다리다가, 그처럼 진정한 지혜의 소유자를 찾아뵐 수 있도록 허락해 달라고 간청했다. 연사는 잠시 망설였으나 래설러스가 그의 손에 금화주머니를 쥐어주자 기쁘게 놀라면서 그것을 받았다.

임락에게 돌아와서 왕자는 말했다. "한 사람을 만났는데 그는 알아야 할 필요가 있는 모든 것을 다 가르쳐 줄 수 있고, 동요하지 않는 합리적인 불굴의 정신의 왕좌에 앉아 자기 아래에서 변화하는 삶의 광경을 내려다보는 사람입니다. 그 분이 얘기를 할 때, 모든 사람이 그의 입을 주시합니다. 이치에 맞게 얘기하고 확신에 차서 끝을 맺습니다. 이 사람이야말로 나의 미래의 길잡이가 될 것입니다. 나는 그 분에게 가르침을 배워서 그분의 삶을 본받을까 합니다."

임락이 말했다. "도덕을 가르치는 교사를 너무 성급하게 믿지도 마시고, 너무 성급히 칭찬하지도 마시구려. 그들은 천사처럼 설교하고 인간처럼 산답니다."

자신의 논점이 적절하지 못하다고 느끼는 사람이라면 누구도 그처럼 힘차게 논리를 펴나갈 수 있으리라고 생각하지 못한 래설러스가 수일 후그 선생을 찾아갔다가 들어오지 말라고 거절을 당했다. 왕자는 이제 금전의 위력을 아는지라 금화 한 닢을 주고서 내실로 들어갔는데, 그 철학자는 어두컴컴한 방에 있었다. 그의 눈은 글썽이고 안색은 창백했다. 철학자는 말하기를 "당신은 모든 인간의 우정이란 것이 무용한 시간에 오셨소 내가 받는 고통은 결코 치유될 수 없습니다. 내가 잃은 것은 결코 보상될 수도 없습니다. 내 딸애가, 내 외동딸이, 그 애의 정성스러움에서 노년의 모든 안락을 기대했는데 그 애가 간밤에 열병으로 죽었소 내 식견도, 내 목적도, 나의 모든 희망도 이젠 끝장났소. 나는 이제 사회에서 완전히 떨어져 나간 외톨이 존재가 됐소."

왕자는 말했다. "선생님, 인간의 필멸은 정한 이치거늘 지혜로운 분이 어찌 그리 당황하십니까? 죽음은 항상 가까이 있어, 항상 예기되어야 한다는 것을 우리가 다 아는바 아닙니까?"

철학자가 대답했다. "젊은이여, 당신은 헤어짐의 아픔을 맛보지 않은 사람처럼 얘기하오." 그러자 래설러스가 말하기를 "선생께선 스스로 그리도 열렬히 주장하시던 교훈을 잊으셨나요? 지혜가 재난에 대비하여 마음을 무장할 만한 힘이 없나요? 생각해 보시지요. 외적인 사물은 당연히 변화무쌍한 것이고 진리와 이성만이 불변 아닙니까?"라고 했다. 애도하는 이가 말했다. "진리와 이성이 내게 무슨 위안을 줄 수 있단 말이오? 그것들이 이제 무슨 효과가 있나요? 단지 내 딸애가 이젠 영영 내게 회복될 수 없는 손실이란 걸 가르쳐주는 것 말고?"

책망을 해서 슬픔에 처한 이에게 모멸감을 느끼게 하는 괴로움을 주는 것을 자신의 인간성이 허락치 않은 왕자는 수사적인 웅변의 공허함, 세련된 미문美文과 심혈을 기울인 문장의 공허함을 확인하고 자리를 떠났다.

제 19 장
전원생활을 훑어봄

왕자는 아직도 꼭 같은 탐사를 하기에 여념이 없었다. 나일강의 가장 낮은 폭포수 가까이에 기거하면서 그의 고결함으로 이름이 높아 전국에 알려진 한 은둔자에 대한 얘기를 왕자가 듣고, 그의 은둔처를 방문하여 무리들 속에 살아서 누릴 수 없는 행복이 고독 속에서는 발견될 수 있는지를 탐문해 볼 작정을 했다. 그래서 노년에 이르도록 덕을 쌓아 자신을 존경의 대상이 되도록 한 장본인이 악을 피하는 묘수나 악을 견디는 방법을 가르쳐 줄 수 있는지 알아보겠단 생각이었다.

임락과 공주도 그와 동행하기로 하고 필요한 준비를 마친 뒤 여행을 떠났다. 그들이 벌판을 지나 길을 가노라니 거기에는 목동들이 양을 치고 있었고 양들은 초원에서 뛰놀고 있었다. 시인이 말했다. "저들의 삶이 순

진무구함과 평정함으로 항상 칭송되어 왔던 그런 삶입니다. 우리 저 양치는 이들의 천막에서 한낮의 무더위를 지냅시다. 그리고 우리들의 탐색이 전원의 소박함에서 마감되어질 수 있지 않나 알아봅시다."

그 제안이 그들의 마음에 들어서 그들은 양치는 이들에게 작은 선물도 주고 다정한 질문을 하여서 자기네의 삶의 형편을 들려주도록 유도했다. 그들은 몽매하고 무지하여 하는 일이 좋은 지 나쁜 지도 비교할 수 없었고, 얘기의 내용도 얘기를 하는 태도도 분명치 않아서 그들에게서 배울 수 있는 것이 없었다. 그러나 분명한 사실은 그들의 마음이 불만으로 썩어 있었고, 그들은 잘 사는 이들의 호사를 위해 자신들이 고생스런 일에 처해 있다고 생각했다. 그리고 자기들보다 지위가 높은 이들을 향해 터무니없는 악의를 품고 있었다.

공주는 힘주어 말했다. 즉 자기는 이 시기심에 찬 야만인들을 동료로 결코 삼지 않겠단 것과, 이젠 시골 생활에서 행복의 표본을 볼 생각은 더 이상 품지 않을 거라 했다. 그리고 태고적 기쁨을 서술한 것이 모두 허구였다고 믿을 수는 없다 하고, 들과 숲에서 얻는 평온한 만족감말고 당연히 선호할 수 있는 어떤 것을 삶이 과연 지니고 있는가 하는 의문에 빠진다고 했다. 공주는 희망하기를 몇몇 덕 있고 기품 있는 동료들과 자신이 손수 심은 꽃을 꺾고, 자기 암양의 새끼를 어루만지고, 흐르는 시냇물 사이에 미풍이 불어오는 가운데서 그늘에 앉아 한 하녀로 하여금 책을 읽게 하여 근심걱정 없이 귀기울여 들을 수 있는 세월이 왔으면 한다고 했다.

제 20 장
번영의 위험

다음 날 그들이 여행을 계속했는데 마침내 폭염이 그들로 하여금 휴식처를 찾으러 사방을 둘러보게 하였다. 그들은 멀지 않은 곳에 숲이 있는 것을 보고 그곳으로 들어갔다가 사람들이 살고 있는 지역이 가까움을 알아차렸다. 녹음이 짙은 곳에는 관목들을 공들여 잘라 통로를 냈고, 옆 나무의 가지들은 인공으로 서로 얽혀져 있고, 공터에는 잔디밭이 솟아 있어 꽃이 피었고, 실개천이 꼬불꼬불한 오솔길을 따라 흐르고 있었는데, 물가에 가끔은 웅덩이를 이루고 있기도 했고, 가끔은 퇴적된 돌들이 흐름을 방해하여 졸졸거리는 물소리를 더하게 했다.

그들은 천천히 숲을 지나치면서, 그 같은 뜻밖의 시설을 대하자 흐뭇하게 느끼면서 인적이 드문 곳에 자연 그대로 그같이 해롭지 않은 호사를 위한 여가와 기술을 가진 자가 누구이며, 무엇 하는 사람인지를 추측해 보느라 즐겁게 얘기를 주고받았다.

가까이 가니 음악소리가 들려오고 선남선녀들이 숲에서 춤추는 광경이 보이고, 더 가까이 가니 숲으로 둘러싸인 언덕 위에 세워진 장엄한 궁전이 보였다. 동방의 후의한 예법에 따라 들어오라는 허락이 내려지고, 주인이 관대하고 부유한 사람같이 그들을 영접했다.

그는 사람의 외모를 보고 판별하는데 재능이 있어서 그들이 평범한 손님들이 아니란 것을 곧 눈치 챈 나머지 식탁에 산해진미를 마련했다. 임락의 말재주가 그의 관심을 사로잡았으며, 공주의 고매한 예절바름이 그에게 존경심을 자아내게 했다. 손님들이 떠나겠다하니, 주인이 더 머물도록 만류해서 하루를 더 묵게 되었는데, 다음 날이 되어서는 주인이 그들을 떠나보내기를 더욱 아쉬워했다. 그래서 별로 어려움 없이 머물도록 설득됐고, 정중함은 이내 편하고 신뢰하는 관계로 자라났다.

왕자는 모든 하인들이 마음 흡족해하고 모든 자연의 모습이 그 부근에서 미소짓고 있는 것을 보고서, 그가 찾는 바를 여기서 발견할 수 있으리란 희망을 가졌다. 그러나 왕자가 주인의 재산에 대해 축하의 말을 해주었더니 주인은 한숨지으면서 답하기를 "나의 여건이 실로 행복의 외양을 지니고 있지요. 그러나 외양이란 현혹시키는 것입니다. 나의 번영이 내 생명을 위험에 빠지게 합니다. 이집트의 태수가 나의 재산과 인기에 대해 앙심을 품어서 나의 적이 됐습니다. 나는 이제까지는 이집트의 왕자들에게 힘입어 태수의 위험에서 보호받아 왔지만, 지체 높은 이들의 호의란 불확실한 거여서, 나를 보호하는 이들이 언제 어느 날 태수와 약탈품을 나눌 생각이 들지 알 수 없는 노릇입니다. 나는 가진 모든 재화를 먼 나라로 보냈는데 여차 하는 기미만 보이면 그것들을 뒤쫓을 만반의 준비가 돼 있습니다. 그땐 내 적이 나의 저택에서 흥청망청 노닐 거고 내가 만든 정원에서 거닐 겁니다."고 했다.

그들 모두는 함께 그의 위험을 탄식했고 그가 추방되어선 안 된다고 입을 모았다. 그리고 공주는 슬픔과 분노의 소용돌이에 마음이 온통 혼란되어 혼자서 머무는 방으로 물러났다. 그들은 친절한 주인과 며칠 더 보내고서 은둔자를 찾아 길을 나섰다.

제 21 장

고독에서 오는 행복 : 은둔자의 이야기

사흘째 되던 날 농부들이 길을 안내해 은둔자의 칩거에 도달했다. 그의 거처란 산기슭에 있는 동굴이었는데 종려나무들이 그늘을 드리우고 있었다. 폭포수에서는 멀리 떨어져 있어서 들리는 소리란 한결같이 부드럽게 속삭이는 듯한 물소리뿐이어서, 깊은 명상을 하도록 마음을 북돋아 줄 수 있었다. 특히 가지사이로 스치는 바람소리가 더해질 때는 그런 소리를 냈다. 자연이 만든 최초의 투박스러운 시도가 인간이 가한 노력에 의해 개선되어서, 그 동굴은 몇 개의 방들로 나뉘어졌고 각 방들은 다른 용도로도 쓰였는데, 야음과 폭풍에 사로잡힌 여행자들에게 자주 숙소를 제공했다.

은둔자는 입구에 있는 의자에 앉아 저녁나절의 시원한 공기를 쐬고 있었다. 한 편에는 책 한 권과 펜과 종이가 놓여 있었고, 또 다른 편에는 여러 가지 기구들이 있었다. 그의 눈에 띄지 않도록 그들이 가까이 가고 있는 동안, 그가 행복에 이르는 길을 발견했거나 사람들에게 가르쳐 줄 수 있을 법한 그런 사람의 외양을 지니고 있지 못한 것 같다고 공주가 말했다.

그들이 대단한 경의를 표하여 인사를 하니 은둔자도 예절에 미숙치 않은 사람처럼 그들에게 답례했다. 은둔자는 "젊은이들이여, 그대들이 길을 잃었으면 이 동굴이 마련할 수 있는 하룻밤의 편의를 기꺼이 제공할 것이오 인간의 기본 욕구에 필요한 것은 다 구비되어 있으나 당신들은 은둔자의 칩거에서 진미를 기대할 수는 없을 거요"라고 했다.

그들이 감사의 뜻을 표하고 안으로 들어가 보니 그곳이 말끔하게 정돈되어 있어서 마음에 들었다. 은둔자는 고기와 술을 그들 앞에 차려 놓고, 자신은 과일과 물만 먹었다. 그가 하는 얘기는 경박하지는 않으나 유쾌했고, 들뜬 열기는 없어도 경건한 어조였다. 은둔자는 곧 방문객들의 존경을 받게 되어 공주는 자신이 내린 성급한 비난을 후회했다.

드디어 임락이 다음과 같이 얘기했다. "이제 당신의 명성이 그처럼 멀리 퍼져있는 연유를 알겠습니다. 우리는 카이로에서 그대의 지혜에 대해 들은지라, 여기에 온 이유는 이 젊은이와 아가씨가 **삶의 선택**을 할 수 있도록 당신의 지도를 청하고자 함에 있습니다."

은둔자가 말했다. "잘 살아가는 사람에게는 어떤 형태의 삶도 유익한 것이거늘, 선택을 하기 위한 어떤 원칙도 제시할 수 없고 단지 모든 분명한 악에서부터 멀리하라는 것뿐이오"

왕자가 말했다. "당신이 실제로 모범을 보여 천거한 이런 고독에 헌신하는 사람이야말로 악에서 멀리하는 사람임에 틀림없겠습니다."

은둔자가 말했다. "나는 십 오 년이란 세월을 이 외딴 곳에서 살아왔
는데 나의 이런 본보기가 어떤 사람에게 모방되기를 바라는 생각은 조금
도 없습니다. 젊어서 군에 종사했는데 점차로 최고의 지위까지 승진을 했
지요. 군대에 앞장서서 멀고 먼 나라들을 횡단했고 여러 전투와 공략을
몸소 겪었소. 마침내는 한 젊은 사관의 발탁이 역겹고, 또 나 자신의 정력
이 쇠하여 간다는 것을 느낀지라, 온 세상이 함정과 불화와 슬픔으로 가
득한 것을 알게 되어 내 생을 평화롭게 끝맺음할 결심을 했습니다. 한 번
은 적의 추격에서 피신하여 이 동굴을 피난처로 삼게 되었는데, 그때부터
이곳을 나의 최후의 거처로 택했던 것입니다. 나는 기술자들을 시켜 동굴
에 방들을 들였고, 내게 필요할 듯한 것들을 저장했습니다.

은둔하기 시작하여 처음 얼마간은 폭풍에 휘말린 수부가 항구에 정박
한 것 같이 기뻤고, 전쟁터의 소음과 숨가쁜 상황에서 평온과 안식을 얻
은 갑작스런 변화에 기뻐했지요. 진기함을 누리는 기쁨이 사라지자, 나는
계곡에 자라는 식물을 세세히 조사하고, 바위에서 채취한 광물들을 연구
하면서 소일을 했지요. 그런데 그런 연구조차도 이제는 재미없고 따분한
일입니다. 왜냐하면 한 순간도 위안이나 기분전환을 누릴 수가 없었기 때
문이지요. 덕을 실천할 수 있는 기회에서 물러나지 않고는 악에서 자신을
구할 수 없었단 것을 생각하면 가끔 수치스럽고, 마음의 헌신에 의해 고
독으로 이끌려간 것이 아니라 차라리 분개한 나머지 빠져들게 됐다는 생
각이 들기 시작합니다. 어리석음의 현장에서 나의 환상이 난무하고, 내가
그처럼 많이 상실했고 얻은 바는 없음을 한탄합니다. 이 같은 은둔 생활
에서 악인들의 모범은 피할 수 있어도, 마찬가지로 선량한 이들의 충고와

대화 또한 놓치는 겁니다. 나는 사회생활의 폐해와 이점을 오랫동안 비교해보았지요. 그래서 내일은 세상으로 되돌아 갈 생각입니다. 고독한 사람의 삶이란 분명히 비참한 것이며 분명 경건한 것이 아닙니다."

그들은 그의 결심을 듣고 적잖이 놀랐으나 시간이 좀 흐른 후 그를 카이로로 인도하겠다고 제의했다. 은둔자는 바위틈에 숨겨둔 상당한 양의 보물을 꺼내어 그들을 따라 도시로 갔다. 도시에 가까이 이르자 은둔자는 넋을 잃고서 바라보았다.

제 22 장
본성을 따르는 삶의 행복

래설러스는 자주 식자들의 모임에 가고는 했는데, 그들은 마음도 풀고 자기들의 생각을 비교해 볼 겸해서 정해진 시간에 만나는 것이었다. 그들의 예법은 다소 세련되지 못한 데가 있었으나 대화는 배울 점이 있었고, 그들의 논쟁이 예리하기는 했으나 가끔 너무 격렬해지는지라 논박하는 어느 편도 그들이 무슨 문제에서 출발하였는지 기억조차 못하게 되는 경우가 흔히 있었다. 몇 가지의 과오가 그들에게 거의 일반적인 것이어서, 누구나 다른 사람을 지배하려는 욕구가 강했고, 상대방의 재능이나 지식이 깎여나가는 걸 들으면 기뻐했다.

이 모임에서 래설러스는 자기가 은둔자와 만난 것을 얘기했다. 자신이 그토록 심사숙고해서 선택했고, 또 자신이 그처럼 칭찬 받을 만하게 좋은 삶의 경로를 은둔자 자신이 자책하는 애기를 듣고서 놀라움을 금치 못했었단 애기를 들려주었다. 애기를 들은 이들의 감정은 각양각태였다. 몇몇 사람은 은둔자의 선택이 어리석었고 그같이 무한한 인내에 처해지도록 선고된 것이 마땅하다는 견해를 지녔다. 그들 중에 가장 나이 어린 사람 하나는 은둔자가 위선자라고 힘주어서 발언했다. 또 어떤 이는 개인의 노력을 요구할 권리가 사회에는 있다고 말하고, 그처럼 은둔하는 것은 자기의 의무를 파기하는 것이라고 했다. 또 그 중에 다른 사람들은 대중의 요구가 충족되어야 하는 때가 있으며, 누구든지 자신을 적당히 격리시켜 삶을 재검토하면서 자기의 마음을 순화시키도록 할 수 있음을 인정했다.

다른 어떤 이들보다 그 이야기에 감동을 받은 것 같은 한 사람은, 아마 그 은둔자가 수년 내로 다시 은둔생활로 되돌아갔다가, 아마도 수치심에 억압되지 않든지 죽음이 그를 낚아채 가지 않으면, 그 은둔생활에서 다시 한 번 속세로 돌아올 가능성이 많다고 생각했다. 그는 말했다. "행복에 대한 희망이 그처럼 강하게 그에게 인상 지워져서, 아무리 오랜 체험이라도 그 인상을 지워버릴 수가 없지요. 현재의 상황에 대해선 그것이 어떤 것이든 간에 인간은 그것을 느끼고 그것에서 받는 슬픔을 토로할 수밖에 없지만, 바로 그 상황이 멀리 떨어져 있게 되면 우리의 상상력이란 그것을 바람직하게 채색하게 되는 것이지요. 그러나 시간이 영락없이 흐르게 되면 우리가 품은 욕망이 더 이상 우리의 고통이 아니게 되고, 어느 누구도 자신이 저지른 죄과에 의하지 않고는 비참하게 되지 않을 그런 때가 올 거요."

그의 이야기를 대단히 못마땅한 표정을 짓고서 듣고 있던 한 철학자가 말했다. "이것이 그 지혜 있는 사람의 현재 상황입니다. 자신의 과오에 의해서가 아니고는 어느 누구도 비참하게 될 수 없는 때는 이미 당도했습니다. 우리들 손닿는 곳에 자연이 친절하게도 놓아둔 행복을 찾아 다른 곳을 떠돌아다니는 것보다 더 부질없는 일은 없지요. 행복에 이르는 길은 본성에 따라 살아가는 것이고, 모든 이의 마음에 원천적으로 인상 지워진 만인불변의 법도에 순응하는 것이지요. 그것은 우리 마음에 가르침으로 새겨진 것이 아니라 숙명에 의해서 양각된 것이고, 교육에 의해 주입된 것이 아니라 우리가 탄생할 때에 젖어든 것이지요. 본성에 따라 살아가는 이는 희망이라는 환영이나, 욕망의 집요함 같은 모든 그 어느 것에 의해서도 고통을 받지 않지요. 그는 한결같은 마음의 평정으로 수용하기도 하고 거부하기도 하며, 사리에 따라 처방하는 것을 행하기도 하고 감수하기도 할 것입니다. 다른 사람들은 세심한 정의定義라든지 복잡한 합리화로 자신들을 달랠 겁니다. 그들이 더 쉬운 수단에 의해 지혜로워지기를 배웠으면 합니다. 숲의 사슴을, 숲 속의 방울새를 그들이 눈여겨보게 하시오. 모든 행동이 충동에 의해 규칙적으로 조절되는 짐승들의 삶을 그들이 고찰하게 하시오. 그 짐승들은 자체가 지닌 안내에 순응하여 행복합니다. 그러므로 이제는 논박하기를 멈추고 사는 법을 배웁시다. 그들이 그처럼 자만심에 차서 미사여구를 늘어놓지만 실은 자신도 이해하지 못하는 훈계라는 방해물은 집어치우고, 단순하고 이해하기 쉬운 속담 하나만을 지닙시다. 즉 본성에서의 이탈은 행복에서의 이탈이지요."

그는 말을 마치고 태연한 표정을 지으며 사방을 둘러보고 자신이 끼친 자비로움을 의식하며 흡족해했다. 왕자는 대단히 정중한 태도로 말했다. "선생님, 저도 모든 인간들과 마찬가지로 행복하기를 바라는 만큼, 저는 선생님의 말씀을 주의 깊게 경청하였습니다. 저는 선생님처럼 박식한 분이 확신에 차서 전개하신 입장의 진위를 조금도 의심하지 않는 바입니다. 단 한 가지, 본성에 따라 산다는 것이 무엇인지요?"

철학자가 말했다. "이처럼 겸손하고 유순한 젊은이들을 대할 때 내가 지금까지 학문을 하여서 가르칠 수 있는 어떤 지식도 그들에게 거부할 생각은 없소 본성에 의거하여 산다는 것은 원인과 결과에서 생기는 관계라든지, 특성에서 비롯하는 적합성에 대해 상응한 고려를 하여 항상 행동하는 것이고, 또 우주적인 축복이라는 거대한 불변의 계획에 일치하게 되도록 하는 것이며, 현존하는 사물의 체제가 지니는 일반적인 경향과 추세에 조화하는 것이라 하겠소"

이 사람 또한 그 이야기를 들으면 들을수록 점점 더 이해할 수 없는 그런 현인의 한 사람이란 것을 왕자는 곧 알아차렸다. 그래서 왕자는 절을 하고 침묵을 지키니, 철학자는 왕자가 만족했으며 여타 사람들도 설복되었다고 생각하여 현존하는 체제와 조화되는 사람의 표정을 짓고 일어나서 자리를 떴다.

제 23 장
왕자와 공주가 나뉘어 관찰하다

래설러스는 여러 가지 생각에 사로 잡혀 집으로 돌아와서, 장래에 어느 방향으로 발걸음을 옮겨야 할지 회의에 빠졌다. 행복에 이르는 길에 대해선 박식한 자나 단순한 자나 똑같이 무지함을 알게 되었다. 그러나 왕자는 아직 젊은지라 더 실험을 하고 탐색을 해볼 수 있는 시간이 있다고 자위했다. 왕자는 임락에게 자신이 목격한 것과 자신이 지닌 회의 같은 것을 이야기했지만, 그에게 아무런 위안도 줄 수 없는 그런 말뿐이어서 그가 하는 대답을 들어도 새로운 의심만 늘어났다. 그래서 왕자는 누이동생과 더 빈번히 마음을 터놓고 얘기했는데, 공주도 왕자처럼 희망을 품고 있어서 지금까지는 왕자가 좌절했어도 마침내는 성공할 것이라고 말해 그의 기대가 꺾이지 않게 해주었다.

공주는 말했다. "우리는 이제껏 세상의 단 한 부분만을 체험했어요. 우리는 아직까지 위대한 존재도 천박한 존재도 결코 아니었어요. 우리나라에서 우리가 왕족이기는 했어도 아무 힘이 없었고, 그래서 우리는 가정이 지니는 평화를 속속들이 보지 못했어요. 임락은 시간이 지나서 자신이 틀렸단 것을 알게 될까봐 우리가 탐색하는 것을 좋게 생각하지 않아요. 우리 둘이서 일을 분담하는 것이 좋겠어요. 당신께선 궁전의 호화로움에서 무엇을 발견할 수 있나 알아보시고, 전 천한 사람들의 삶의 그늘을 탐색하지요. 아마도 명령을 할 수 있는 권위 있는 지위가 최고의 축복이겠지요. 왜냐면 선을 행할 수 있는 대개의 기회가 주어지니까요. 아니면 아마 이 세상이 줄 수 있는 것은 중류 정도의 행운을 누리는 사람들에게서 발견될 지도 모르지요. 그럴 경우 거대한 계획을 하기에는 너무나 신분이 낮고, 빈곤으로 절망하기에는 너무 높은 신분일 테니까요."

제 24 장
왕자가 지위 높은 이들의 행복을 조사하다

래설러스는 그 계획을 환영하여 다음 날 훌륭한 수행원을 데리고 총독의 궁전에 나타났다. 왕자의 장대함은 돋보였고, 호기심을 쫓아 먼 나라에서 온 왕자로서 고위 관리들과 교우하고 총독과도 자주 담화할 수 있었다.

처음에 왕자는 총독이 자신의 처지에 기뻐하는 사람인 것으로 믿었다. 모든 사람들이 그에게 존경심을 품고 있고, 복종하는 마음으로 그의 이야기를 경청하고, 그의 칙령이 왕국의 방방곡곡에 미치기 때문이었다. 왕자는 말했다. "지혜롭게 다스림으로써 수천 사람들이 한꺼번에 맛보는 기쁨과 상응하는 그런 기쁨은 있을 수 없습니다. 그러나 종속의 법칙에 의하여 이와 같은 지고한 기쁨은 단 한 사람을 제외한 전 국민에 있는 만큼,

더 서민적이고 얻기 쉬운 만족감이 있을 수 있고, 또 수백만이 단 한 사람의 의지에 예속되어서 그 특정인의 가슴을 형언키 어려운 만족으로 채우기는 어렵다고 생각하는 것이 더 이치에 닿을 것이오"

왕자는 이런 생각들이 자주 들어 그 어려움에 대한 해결방안을 찾을 수가 없었다. 그러나 선물 주는 일과 예절바름으로 인해서 왕자가 교우관계를 더 늘리게 되었을 때 왕자가 발견한 사실은, 고위에 있는 사람은 누구나 여타 사람들을 미워하고 또 그들에게서 미움을 산다는 것이고, 그래서 그들의 삶이란 끝없는 계략과 탐지 술책과 도피 또 파벌과 기만의 연속으로 이루어진다는 것이다. 총독을 둘러싸고 있는 많은 사람들이 그의 행동을 지켜보고 보고하기 위하여 파견되어 있으며, 입에서 나오는 것은 비방의 말뿐이고 눈이란 눈은 과오만을 찾아내는 것이었다.

마침내 해임장이 와서 총독은 수갑이 채워져 콘스탄티노플로 이송되고, 그의 이름은 더 이상 사람들 입에 오르내리지 않았다.

래설러스는 누이동생에게 말해주었다. "권력을 가진 자의 특권이란 무엇인가. 그것은 선을 위해 아무런 영향력도 없는 것인가? 단지 종속되어 있는 고위신분은 위험한 것이고, 최상의 신분만이 안전하여 영예를 누리는 것인가? 군주만이 그가 지배하는 전 영역에서 오로지 행복한 존재인가? 아니면 군주조차도 의심에서 나오는 고통과 적에 대한 공포로 예속된 존재인가?"

얼마가지 않아 새로 부임한 총독이 또 물러났다. 그를 총독으로 천거한 군주가 근위 보병들에 의해 살해되었고, 후속 군주는 다른 견해를 지니고 다른 총신들을 거느리게 되었다.

제 25 장
공주는 성공보다 근면으로 탐문을 계속하다

관대함이 훌륭한 성품과 함께 할 때 통로를 찾아낼 수 없는 문이란 드문 법이어서 그러는 동안 공주는 여러 가정에서 환심을 사서 드나들 수 있게 되었다. 어느 집이나 딸들은 쾌활하고 명랑했지만, 네카야는 임락과 오라버니의 대화에 오랫동안 익숙하여서, 의미 없는 천진스러운 경박함이나 잡담에 그리 즐거워하지 않았다. 공주는 그들의 생각이 편협하고, 그들의 욕망이 천박하고, 그들의 오락이 인위적으로 꾸며진 것을 알게 되었다. 그들이 누리는 쾌락이란 보잘 것 없는 것이어서 순수하게 지속될 수 없었고, 대수롭지 않은 겨룸과 무가치한 경쟁심으로 인하여 쓰라림을 가중시킬 뿐이었다. 그들은 항상 남의 아름다운 용모에 질투하는데, 그에 대해선 애태워봐야 이로울 것도 없고, 욕해봐야 손해보일 수 있는 것도 아니었다.

많은 이들이 자기네처럼 게으름 피우며 시시덕거리는 사람을 좋아했고, 많은 이들이 사실은 게으름에 빠져 있으면서 사랑에 빠진 것으로 착각을 하는 것이었다. 그들의 애착이 양식이나 미덕에 기울여지는 경우가 드물어서 종국에는 짜증스런 마음으로 끝나기가 일쑤였다. 그러나 그들의 슬픔이란 것도 기쁨과 마찬가지로 순간적인 것이어서, 모든 것이 그들의 마음 속에서 과거나 미래에 연결되지 못하기 때문에 한 가지 욕망이 다른 욕망으로 곧 대치되었는데, 마치 물에 던진 두 번째 돌이 첫 번째 돌에서 생겨난 파문을 지워버리고 흩뜨려 버리는 것과 같았다.

공주는 해롭지 않은 동물과 놀듯이 이들과 놀았으나, 그들은 자기가 베푸는 후원에 대해 우쭐했고, 자신과 함께 하는 것을 싫증낸다는 것을 알아차리게 되었다.

그러나 공주의 목적은 더 세밀히 조사해보는 것이었으며, 또 공주가 붙임성 있는 성격인지라 슬픔에 찬 사람들은 공주의 귀에 자기네의 비밀을 쉽게 털어놓았다. 그래서 희망에 들떠 있거나 행복에 겨워하는 이들은 공주에게 자기들의 기쁨을 함께 하도록 청했다.

공주와 왕자는 저녁이 되면 으레 나일강변에 있는 개인소유의 하계 별장에서 만나 그 날 있었던 일을 서로 주고받았다. 그들이 함께 자리하고 있는 동안 공주는 자기 앞에서 흐르는 강물에 시선을 던지고 있었다. 공주는 말했다. "큰물의 근원이여, 말해주소서. 여든 나라를 지나서 물결을 흘려보내는 그대여, 그대의 원천이 되는 땅에서 온 왕녀의 기원에 답하소서. 그대의 여정을 통하여 그대가 물을 공급하는 마을 중에 불평의 웅얼거리는 소리가 들리지 않는 마을이 단 하나라도 있는지 들려주소서."

래설러스가 말했다. "그대도 내가 궁전에서 그랬던 것처럼 일반인들의 가정에서도 성공하지 못했구나." 공주가 말했다. "우리가 역할을 분담한 이래로 저는 여러 가정과 친교를 맺게 되었는데요. 집집마다 평화와 행복의 겉치레를 과시하지만 어느 한 집도 그 평화로움을 깨뜨리는 원귀가 찾아들지 않은 집이 없었어요.

제가 가난한 이들에게선 안식을 찾아볼 시도를 하지 않은 이유는 그런 곳에선 찾을 수 없다고 이미 결론 내렸기 때문이지요. 그러나 풍요 속에서 산다고 여겨지는 많은 이들이 궁핍한 것을 보았지요. 대도시에선 빈곤이 매우 다른 외양을 하고 있더군요. 가난이 종종 화려함으로 감추어져 있거나 또는 낭비 속에 가려져 있더군요. 인간들이란 대개 남에게 자신의 빈곤을 감추기에 급급하더군요. 그들은 임시적인 방편으로 연명하고, 하루 하루가 내일을 위한 궁리로 허송됩니다.

그러나 이것은 흔히 있는 일이기는 하나 덜 괴로움을 느끼고 목격한 것인데, 그것은 내가 구제할 수 있는 것이기 때문이지요. 그러나 어떤 이들은 내가 베푸는 은전을 거절했는데, 내가 그들을 도와주고자 하는 마음에 대해 기뻐하기보다는 그들의 옹색함을 간파할 수 있는 눈치 빠름에 마음 상했기 때문입니다. 또 다른 이들은 자신들의 절박한 사정에 의해 내 친절을 받아들이지 않을 수 없었지만, 그들의 은인을 결코 용서할 수는 없었습니다. 그래도 많은 사람들이 겉치레 감사나 또 다른 호의를 기대하지는 않아도 진정으로 감사해 하더군요."

제 26 장
공주가 사생활에 대한 견해를 계속 이야기하다

네카야는 오라버니가 자기 얘기에 집중하는 것을 알고서 이야기를 계속했다.

"가정이란 빈곤하든 빈곤하지 않든 대체로 불화가 있더군요. 임락이 얘기하듯이 왕국이 한 거대한 가정이라면, 한 가정도 마찬가지로 작은 왕국이나 다름이 없지요. 온갖 파벌로 갈기갈기 찢기고 변혁에 노출되어 있고요. 잘 모르는 관찰자는 부모와 자녀의 애정이 지속적이고 변함 없는 것으로 기대하지요. 그러나 이런 다정함은 유년시절을 지나서까지 지속되기란 드문 것이고, 시간이 조금 지나면 자녀가 부모에게 적대시하게 됩니다. 은혜를 베푸는 것을 비난으로 경감하고, 감사하는 마음은 시기로 인하여 천해지더군요.

부모와 자녀는 대체로 화합하여 행동하는 일이 드물고, 자녀들은 각자 부모의 호의나 귀여움을 독차지하려 애쓰고, 부모는 꾐에 빠진 것은 아니라도 자녀에게 서로 상대방을 헐뜯고, 어떤 자녀는 아버지에게, 어떤 자녀는 어머니에게 신뢰감을 지니게 되니, 대체로 가정이란 것이 허식과 원한에 찹니다.

자녀와 부모의 의견, 젊은이와 늙은이의 의견이란 희망과 절망, 기대와 체험의 상반되는 결과로 인해서 어느 한 편에 과오나 어리석음이 없어도 당연히 반대의 입장을 취하게 됩니다. 청년기와 노년기에 있어서 인생에 대한 색조는 마치 자연의 표정이 봄, 겨울로 다른 것 같이 다릅니다. 그러니 그들이 눈으로 보아 거짓된 것으로 나타나는 부모의 주장을 어찌 신임할 건가요?

이제 삶으로 모범을 보여서 자기네가 자녀들에게 들려주는 격언에 따라 살도록 처신할 수 있는 부모가 드뭅니다. 노인은 전적으로 점차적인 계획과 서서히 진행되는 진전에 의탁하려 하고, 젊은이는 재능과 정력과 성급함으로 진로를 개척해 나가려고 합니다. 노인은 부를 높이 평가하고, 젊은이는 미덕을 숭상하고요. 노인은 신중성을 신성시하고, 젊은이는 큰 도량과 행운에 자신을 맡깁니다. 젊은이는 악의를 품지 않기 때문에 타인이 악의를 품고 있다고 믿지도 않아서 개방적이고 솔직하게 행동하지만, 아버지들은 기만의 상처를 맛본지라 의심에 싸이게 되고, 또 종종 기만을 실행하고자 하는 꾐에도 빠집니다. 노인은 청년의 무모함을 분노에 차서 바라보고, 청년은 노년의 신중함을 경멸에 차서 바라봅니다. 그러므로 부모와 자녀는 대개의 경우 서서히 애정이 멀어지게 되지요. 그러나 이처럼 천륜이 가깝게 맺어준 이들이 서로 서로에게 고통이 되니, 도대체 우리는 어디에서 다정함이나 위안을 얻을 수 있을까요?"

왕자가 말했다. "확실히 네가 사귀는 이들은 선택에 있어서 불운했구나. 모든 인간관계에서 가장 다정해야할 사이가 자연의 불가피성으로 그 효력이 침식된다는 것은 믿기 어렵구나."

공주는 대답했다. "가정의 불화는 피할 수 없는 것도 또 숙명적으로 불가피한 것도 아니지만 그래도 쉽사리 제거되는 것도 아닙니다. 온 가족이 다 덕을 갖추고 있는 것을 보기는 어렵지요 착한 이와 악한 이가 잘 어울리지 못하고, 악한 이들 사이의 화합이 더 어렵지요 그리고 덕 있는 사람들도 그들의 미덕이 다른 종류의 것일 경우 차이가 나게 되어 가끔은 극단으로 치우치는 경우가 있습니다. 대체로 존경을 받을만한 자격이 있는 부모가 가장 존경을 받는데, 잘 사는 이는 천대받지 않는 법이니까 그렇지요

그밖에도 여러 가지 악이 개인 생활을 좀먹습니다. 어떤 이들은 자기네가 신뢰하여서 사사로운 일을 맡긴 하인의 노예가 됩니다. 어떤 이들은 기쁘게 해주지도 못하고, 그렇다고 마음 상하게 해서도 안 되는 돈 많은 친척의 변덕스러움 때문에 끊임없는 걱정에 빠집니다. 어떤 남편은 전제적 횡포를 누리고, 어떤 아내는 성미가 비꼬인 경우도 있고요 그리고 선을 행하기보다는 악을 행하기가 쉬운 법입니다. 또 한사람의 지혜나 미덕이 많은 이들을 행복하게 하는 예도 드물고, 한 사람의 우행이나 악이 여러 사람을 불행하게 하는 경우도 흔히 있지요"

왕자가 말했다. "결혼의 결과가 대체로 그런 것이라면 내 반려자의 과오로 불행해질까봐 나 자신의 이익과 다른 사람의 것을 인연 맺는 것이 위험하다고 장래에도 생각하게 되겠군."

공주가 말했다. "그런 이유로 미혼으로 사는 여러 사람을 만났지요 그러나 그러한 신중함이 남의 부러움을 사는 일은 보지 못했습니다. 그들은 우정을 나누는 일도 애착을 느끼는 일도 없이 그들의 시간을 보내고, 소일거리가 없어 유치한 오락이나 사악한 쾌락을 즐기며 하루 하루를 모면하는 것이지요 그런 이들은 마음이 원한으로 가득하고 하는 말이란 힐난으로 채워진 끊임없이 알 수 없는 열등감에 사로잡힌 존재들이지요 그들은 집안에서도 투정하기 일쑤고 밖에 나가선 악의에 가득 차 있고, 또 그들은 인간 본성의 이탈자들로서 그 사회가 주는 특권에서 제외된 자신들이 그 사회를 혼란스럽게 하는 것을 일과 낙으로 삼는 것입니다. 공감을 느끼지도 공감을 일으키지도 않고 사는 것, 타인의 행복에 보탬됨이 없이 행운을 누리는 것, 그리고 연민이란 위안을 맛보지 못하고 고통만 받게 되는 것은 고독이라기보단 암울한 상태이지요 그것은 인간 세계에서 은둔하는 것이 아니고 제외된 것이지요 결혼 생활에는 여러 가지 고통이 있으나 독신 생활은 아무런 기쁨도 없지요"

래설러스가 말했다. "그렇다면 무엇이 바람직한가? 더 알아보면 알아볼수록 점점 더 결단을 내리기가 어렵게 되니, 아무것에도 마음을 쏟을만한 성향을 지니지 않는 이가 단연코 가장 기뻐할 것 같구나."

제 27 장
탁월함에 대한 탐구

대화가 잠시 중단되었다. 왕자는 여동생의 체험담을 숙고하고 나서 말하기를, 공주가 편견을 지니고서 삶을 관찰하고 실제로 볼 수 없는데 슬픔을 상상해낸 것이라고 말했다. 왕자는 "그대의 이야기는 미래의 전망에 더 어두운 그림자를 던진다. 임락의 예언은 네카야에 의해 묘사된 악의 희미한 스케치에 불과하구나. 최근에 내가 확신하게 된 바는 평정이란 장대함이나 권력의 결실이 아니고, 평안의 존재는 부로 살 수 있는 것도 정복에 의해 강화될 수 있는 것도 아니란 생각이다. 분명한 것은 누구든 더 넓은 범위에서 행동하게 될 때, 그는 적의에서 나오는 반대와 우연에서 생겨나는 실패에 더 빠지게 되고, 기쁘게 해야 하거나 다스릴 사람을 많이 거느린 자는 누구든 많은 대리인들의 시중을 받아야 하며, 그 중 어떤 이는 사악하고 어떤 이는 무지하고 개중에는 그를 오도하는 사람도 있고 더러는 그를 배신하게도 된다. 그가 한 사람을 만족스럽게 해주면 또 다른 사람은 마음 상할 것이고, 호의를 받지 못한 이들은 자기네가 손상되었다고 여길 것이다. 호의란 극소수에게만 주어지는 것이니, 대다수의 사람들은 항상 불만에 차게 되지"라고 했다.

공주가 말했다. "불만이란 이처럼 터무니없는 것이거늘, 내 바라건대 그것을 항상 대수롭지 않은 것으로 여길 수 있는 용기가 있으면 좋겠고 오라버니께선 그것을 제압할 수 있는 힘이 있기를 빌겠나이다."

래설러스가 대답했다. "아무리 정의롭고 방심하지 않는 공무의 집행 하에서도 언제나 불만의 근거가 없지는 않을 거다. 아무리 세심하다 해도 빈곤이나 파벌이 어둡게 드리워 가리우는 장점을 항상 찾아낼 수 있는 사람은 아무도 없고, 또 아무리 강력한 자라 하더라도 그 미덕을 항상 보상하지는 못하는 것이지. 그러나 열등한 자격을 가진 이가 자기 위에 승진하는 것을 보게 되는 이는 그 선택이 편애나 일시적 기분에 기인한다고 당연히 돌릴 것이며, 그러니 실로 아무리 타고난 도량이 크고 지위가 높은 사람이라도 분배함에 있어서 언제나 확고하고 가차없는 공정성을 견지할 수 있기를 기대하기란 어려운 것이다. 그는 가끔은 자신의 인정에도 빠지게 되고, 가끔은 자기의 총애를 받는 이의 정실에 빠질 수도 있겠지. 그는 자기에게 결코 도움이 될 수 없는 이를 자기 마음에 들게 할 수도 있겠고, 자기가 좋아하는 재질을 실제로는 가지고 있지 못한 그런 사람들이 그런 재질을 지니고 있다고 생각하는 경우도 있겠다. 그리고 자기가 기쁨을 얻는 그들에게 그도 기쁨을 주려고 애쓸 것이다. 그리하여 가끔은 금전에 의해 매수된, 혹은 더 파괴적인 아첨이나 굴종에 의해 현혹된, 천거가 위력을 부릴 때가 있는 법이지요 많은 일을 해야 하는 이는 어떤 일을 잘 못 해낼 수 있고, 그는 그 과오의 결과를 감수해야 하고, 또 설혹 그가 항상 옳게 처신할 수 있다 하더라도 많은 사람이 그의 행동을 판단하는 만큼 마음이 고약한 이는 악의에 차서 그를 비난하고 방해할 것이고 마음이 착한 이라도 실수로 그렇게 할 수 있다.

　　그러므로 아무리 높은 지위도 행복이 머무는 곳으로 여겨질 수가 없는 것이니, 그런 것은 왕좌와 궁궐을 벗어나서 누추한 은밀스러움과 잔잔한 망각의 소재지로 달아났다고 나는 서슴지 않고 믿고 싶다. 그의 능력이 맡은 바 소임을 하는데 합당하고, 자기가 지니는 영향권의 범위를 자기 눈으로 감지할 수 있고, 자기 지식에 의거하여 자신이 신임하는 이들을 모두 선택할 수 있고, 그리고 어느 누구도 희망이나 공포에 의해 속이려고 들지 못하는 그런 사람의 만족감을 방해하고 기대를 가로막을 수 있는 것이 무엇이란 말인가? 필연코 그는 사랑하고 사랑 받고, 덕을 쌓고 행복을 누릴 것 외에 할 일이 아무것도 없다 하겠다."

　　네카야가 말했다. "완전한 행복이 완전한 선에 의해서 이룩될 수 있는 것인지를 결정 내려줄 수 있는 기회를 이 세상이 결코 제공할 수 없을 겁니다. 그러나 적어도 이렇게도 주장할 수 있을 거예요 즉 우리가 분명한 미덕에 비례하여 눈에 띌 만큼의 행복을 항상 발견하게 되는 것은 아니란 말입니다. 모든 자연 발생적인, 또 대개의 정치적인 재난이 악한 이에게도 선한 이에게도 꼭 같이 일어날 수 있는 것이어서, 그들은 굶주림이란 재난 속에서 혼란에 빠지고, 파쟁의 흉포성에서 별로 구분되지도 않고 함께 대소란 속에 가라앉게 되어 침입자들에 의해 자기 나라에서 함께 몰려나게 됩니다. 미덕이 줄 수 있는 모든 것은 양심의 평온, 더 행복한 상태에 대한 차분한 전망이지요. 이것이 우리로 하여금 인내심을 가지고 재앙을 견디도록 해주는 것일 겁입니다. 그러나 잊지 말아야 할 일은 인내심이란 고통을 전제로 한다는 것이지요."

제 28 장
래설러스와 네카야 대화 계속하다

래설러스가 말했다. "다정한 공주여, 평범한 탐구를 하는데 국가적인 재난이라든지 광범한 불행의 장면 같은 것을 열거하여서 과장스런 열변을 하는 흔히 있을 수 있는 과오에 빠졌구나. 그런 일들은 실제 세상보다는 책에서나 발견될 수 있는 것이고, 또 끔찍스런 만큼 희귀한 것으로 정해진 것이오 우리가 느끼지 않는 악 같은 것은 상상하지도 말고, 잘못된 진술로 삶에 해를 입히지도 말자. 모든 메뚜기떼들이 날 때 기근이 들고, 남쪽에서 불어오는 모든 바람의 날개에 역병이 드는 예루살렘의 침략 같은 그런 공략으로 모든 도시들을 위협하는 불평투성이의 능변은 견딜 수 없구나.

모든 왕국들에게 한꺼번에 엄습하는 필연적이고 불가피한 재앙에 대해선 이런 저런 논박이 헛된 것이다. 그런 재앙이 일어날 경우는 당하는 수밖에 도리가 없지. 그러나 분명한 것은 이런 만국에 걸친 불행의 폭발은 실제로 당하여 느껴지기보다는 마음으로 두려워함이고, 수천 수만 명의 사람들이 젊어서는 꽃답게 피어나고 나이 먹어서는 시들어가며 개인적인 재앙 외에는 다른 어떤 재앙도 모르고 살아가고, 그들의 군주가 온화하거나 잔인하거나 그 나라의 군대가 적군을 추격하거나 추격 당하든지 간에 꼭 같은 기쁨과 통분을 나누게 되는 거지. 조정에서는 내적인 파쟁으로 소란스럽고, 대사들이 외국에서 교섭을 벌이는 동안에도 대장장이는 여전히 자기의 모루를 치고, 농부는 쟁기로 밭을 갈러 나가고 생활필수품이 필요해져서 공급되며, 철따라 지속되는 사업이 계속되어 일상생활의 순환을 이루는 것이다.

그러니 아마도 결코 발생하지도 않을 것이고, 또 발생하게 될 경우 인간적인 헛된 공론을 비웃게 될 그런 일들을 생각하는 것은 그만두자. 우리가 자연의 움직임을 수정할 노력도 말며 왕국들의 운명을 고칠 생각도 말 것이다. 우리가 할 일이란 우리와 같은 존재가 무슨 일을 수행해야 하는가를 숙고해 보는 것이고, 아무리 좁다 해도 자기가 처해 있는 범위에서 타인의 행복을 증진시킴으로써 자신의 행복을 도모하기에 노력해야 하는 거지.

결혼이란 분명히 인간 본성의 지시인 만큼, 남자와 여자는 서로 반려가 되도록 창조된 만큼, 결혼이 행복의 한 수단이 아니라고 생각하지 않을 수가 없다."

공주가 말했다. "결혼이란 것이 수많은 인간 불행의 한 형태가 아닌가 모르겠네요. 제가 여러 양상의 부부 생활의 불행을 보고 생각해 봤는데,

112

예상치 못한 지속적인 불화의 원인, 성품의 차이, 의견의 대립, 격렬한 충동에 의해 쌍방에서 생겨나는 반대되는 욕망의 무지한 충돌, 쌍방 다 선의의 의도를 품었다는 생각에서 주장하게 되는 불협화음을 이루는 미덕의 고집스런 갈등, 이런 모든 것을 보니 여러 나라의 냉혹한 궤변가들이 생각하듯이 결혼이란 좋다고 인정되기보다는 단지 용납되는 것이고, 과도하게 탐익된 격정의 선동에 의해서가 아니고는 이 깨뜨릴 수 없는 맹약에 어느 누구도 휘말리지 않으리라 저는 가끔 생각하게 됩니다."

래설러스가 답했다. "그대가 바로 지금 이 순간 독신 생활이 결혼 생활보다 덜 행복하다고 제시하였음을 잊은 듯하구나. 두 경우가 다 나쁠 수 있지만 두 가지 다 최악일 수는 없지. 그래서 잘못된 견해들이 마음속에 일어나게 되면 그것들이 서로를 파괴하여 진실을 향해 우리 마음을 열어주는 경우가 있는 것이다."

공주가 말했다. "단지 결점의 결과인 것을 허위의 탓으로 돌리는 것을 듣게 되니 의외입니다. 크기가 거대하고 부분이 각기 다른 대상들을 정확을 기하여 비교한다는 것은, 눈으로 해내기도 힘들고, 마음으로도 어려운 것이지요. 한꺼번에 전체를 보거나 파악하게 될 때 우리는 즉각 차이를 알아채서 선호하는 것을 정할 수 있습니다. 그러나 복합성의 크기와 다양성의 총체적인 범위가 어떤 인간에 의해서도 개관될 수 없는 두 가지의 체계에 대해서 가늠하게 될 때, 부분으로 전체를 판단하면서, 나의 기억력에 또는 상상력에 그 중 어느 것이 인상을 지어주는 만큼, 이것 또는 저것에 의해서 내가 번갈아 가면서 마음에 영향을 받는다 해서 이상할 것 없는 것 아닌가요? 정치와 도덕 사이의 무수히 다양한 여러 가지 관계에서와 마찬가지로, 문제의 한 부분만을 보게 될 경우 우리 서로 서로가 차이가 있는 것 같이 우리 자신에게서도 차이를 드러내고 있지요. 그러나 우리가 숫자의 계산에서처럼 전체를 한꺼번에 인식하게 될 때는 모두 한 가지 결론으로 일치하여 어느 누구도 자기의 의견을 변경하지 않지요."

왕자가 말했다. "인생의 재난에다가 또 한 가지 병폐인 언쟁의 쓰라림을 더하지는 말자. 그리고 논쟁의 교묘함에 빠져서 서로 서로 다투려고 하지도 말자. 우리는 둘 다 탐색에 몰두하고 있는 바, 성공을 하면 기쁨을 함께 누리고 실패하게 되면 고통을 함께 하는 거지. 그러니 우리가 서로 돕는 것이 좋은 일이야. 그대는 확실히 결혼 생활의 불행을 보고서 그 제도에 성급히 반대하는 결론을 내리는구나. 인생의 슬픔이란 것 자체가 인생이란 하늘의 선물일 수는 없다는 것을 증명하는 것 아니겠소? 이 세상에는 결혼을 해서든 또는 결혼을 하지 않든, 사람들이 살아야 하는 것이지."

네카야가 응수했다. "이 세상이 어떻게 해서 채워지나 하는 건 저의 관심사가 아니옵니다. 또 오라버니의 관심사일 필요도 없구요. 현재의 세대가 그들을 이을 다음 세대들을 남기지 않으리란 위험이 있으리라 생각진 않아요. 우리는 지금 세상 사람들을 위해 탐문하고 있는 것이 아니라, 우리들 자신을 위해서 탐구하는 것이지요."

114

제 29 장
결혼에 대한 토론 계속되다

래설러스가 말했다. "전체의 선은 그 모든 부분의 선하고 똑같다. 인류를 위해 결혼이 최선이라면 각 개인에게도 그것은 분명히 최선의 것이지. 또 영속적이고 불가피한 의무가 악의 원인이라면, 어떤 사람이 분명히 다른 사람의 편의에 피치 못하게 희생되어야 하지. 그 두 가지 상태에 대해 그대가 내린 평가 중에서, 독신생활에서 당하는 불편은 대체로 필연적이고 확실한 것이지만, 결혼생활에서 오는 불편은 우연한 것이어서 피할 수 있는 것으로 보이는 거지.

신중하고 자애로움이 결혼 생활을 행복하게 유지시켜 줄 거라는 희망을 품지 않을 수가 없어. 인간이 지니고 있는 일반적인 어리석음이 인간이 가지는 공통적인 불평의 원인이거든. 젊음이란 미숙과 욕망이란 열정에서 판단이나 예견도 없이 또 의견의 일치나 예절의 유사함, 판단의 정확성과 감정의 순수함에 대한 탐색도 없이 내려진 선택에서 실망이나 후회말고 무엇을 기대할 수 있겠어?

결혼에 이르는 과정은 흔히 이런 것이지. 한 쌍의 젊은 남녀가 우연히 만나고 또는 인위적으로 함께 하게 되어 눈길을 서로 마주치고 예의를 차리고 집으로 돌아가서는 상대에 대해 꿈을 꾸게 되지. 관심을 돌릴 곳도 별로 없고 생각을 다각적으로 하게 해줄 것도 없고, 그들이 헤어지면 자신들이 불안해지는 걸 알게 되어 그래서 함께 행복할 거라고 결론을 내리거든. 그래서 결혼을 하지. 그리고는 일부러 장님 노릇을 하지 않았던들 하나도 감추어지지 않았을 법한 것들을 발견하게 되지. 그들은 언쟁으로 삶을 소모하게 되고 잔인하게 본성을 탓하는 것이지.

저들의 초기 결혼 생활에서부터 부모와 자녀 사이의 경쟁 관계가 생겨나고, 아버지가 세상을 하직하기 전에 아들이 세상을 향유하기에 급급하고, 그래서 두 세대를 동시에 위한 기회가 거의 없다시피 하거든. 어머니가 시들 마음이 들기 전에 딸은 꽃 피어나기 시작하고, 그래서 양쪽 다 서로가 없었으면 하는 바람을 누를 수가 없지.

신중함은 돌이킬 수 없는 선택에 처방을 내릴 때 심사숙고와 지연에 의해서 이 모든 재앙이 확실히 기피될 수도 있게 하지. 젊은 시절에 누릴 수 있는 쾌락의 다양함이나 흥겨움 속에서 삶이란 동반자의 도움 없이도 충분히 잘 지탱될 수가 있는 것이거든. 더 오랜 시간이 흐르면 경험이란 것을 축적하고, 더 넓은 식견은 탐문해 보고 선택할 수 있는 더 좋은 기회를 주고, 그렇게 하면 또 한 가지 이점이 확실한데, 부모가 자녀들보다 눈에 띄게 늙는다는 점이지."

네카야가 말했다. "이성이 결론짓지 못하고, 체험이 아직 가르쳐줄 수 없는 것들은 남들에게서 얘기를 들음으로써 배울 수가 있지요. 제가 듣기로는 늦게 결혼하는 것이 특별히 행복하지는 않다던데요. 이 문제는 중대해서 등한히 할 수 없는 것이기에, 나는 의견이 정확하고 지식이 넓은 사람들에게 존중할만한 자기들의 의견을 들려달라고 종종 제의한 적이 있지요. 그들은 대체로 결론 내리기를, 성인 남자와 여자가 의견이 확립되고 버릇이 굳어진 뒤에 상대방에게 자기의 운명을 매다는 것은 위험한 일이라 하대요. 그 때는 우정이 쌍방에서 다 줄어든 상태이고, 인생이 이미 체계화됐으며 마음은 이미 오랫동안 자신의 장래에 대해 숙고해 온 때이거든요.

세상을 여행하는 두 남녀가 우연에 의해 꼭 같은 길로 인도된다는 것도 거의 불가능한 것이고, 두 사람 중에 어느 하나도 습관이 기쁘도록 만들어준 궤도를 떠난다는 것도 흔히 있을 것 같지 않고요. 젊음이 지니는 경망스러움이 규칙적인 것으로 굳어졌을 때 그것은 곧 양보하기를 수치스럽게 여기는 오만으로, 다투기 좋아하는 고집으로 이어집니다. 그리고 비록 서로 존경하여 서로를 즐겁게 해줄 욕망이 생겨난다 해도, 세월이란 것 자체가 외적인 모양새를 변모시키듯이 격정의 방향도 마찬가지로 결정지어주고 예절에도 유연치 못한 경직성을 띄게 하지요. 오랜 습관은 쉽게 깨어지지 않는 것이어서 자기의 삶의 경로를 바꾸려는 사람은 대개의 경우 헛된 수고를 합니다. 그런데 자기를 위해서 거의 할 수가 없는 것을 남을 위해서는 우리가 어찌할 수가 있겠나요?"

왕자가 말을 막았다. "그러나 확실히 공주는 선택의 주요 동기를 잊거나 무시한 채 생각하는구나. 언제든 내가 아내를 찾을 경우 나의 첫째 질문은 아내 될 사람이 기꺼이 이성에 의해 인도될 위인인가 하는 점이다."

네카야가 말했다. "바로 철학자들이 오류를 범하는 것이 그렇게 해서이지요 이성에 의해 결정지을 수 없는 천 가지나 되는 흔해 빠진 쟁점들이 있지요 조사해 보아도 발견될 수 없는 문제들, 논리적으로 따져보아야 우스꽝스러운 문제들, 어떤 행위가 이루어져야 하지만 이런 저런 논의가 있어 봐야 소용이 없는 경우들이 있지요 인간이 처한 상황을 생각해 보세요 어느 누구나 크거나 작은 어떤 사건에도 그들 마음속에 행위의 근거를 모두 가지고 있지만, 그 상황들에 처해 극소수만이 일일이 근거를 대고 행동할 수 있지 않나 하는 걸 생각해 보세요 매일 아침 하루의 가정 생활의 모든 자질구레하고 세세한 것들을 이성으로 따져서 처리해야만 할 운명으로 지어진 한 쌍의 부부야말로 불쌍하다는 모든 말을 능가할 정도로 불쌍한 사람들 아닌가요

나이가 든 후에 결혼한 부부들은 아마도 자녀들의 침해를 피할 수 있겠지요 그러나 이런 이점이 감소될 경우는 부모는 자녀가 무지하고 자활할 수 없는 상태에서 후견인의 처분에 맡기게 될 경우가 많지요 그런 일이 발생하지 않으면 부모는 그들이 가장 사랑하는 자녀가 지혜로워지거나 훌륭해지는 것을 볼 수 있기 전에 적어도 세상을 하직하게 되지요

부모가 자녀를 염려할 것이 덜한 경우 그들은 또한 바랄 것도 덜 한 것이어서, 부모는 그에 대응치를 받지 못하고 어린 시절의 사랑의 기쁨도, 유순한 예절로 결합될 수 있는 편의도, 새로운 일상에 민감한 마음도 잃을 겁니다. 그것은 계속적인 마찰에 의해서 부드러운 몸체가 서로의 표면에 동화되는 것처럼 오랜 동거 생활로 상이점들을 닳아 없어지게 할 수도 있는 것이겠지요

늦게 결혼하는 부부는 자녀를 낳음으로 가장 큰 기쁨을 누린다고 저

는 믿습니다. 그리고 일찍 결혼하는 부부는 상대에게서 가장 큰 기쁨을 누리고요."

래설러스가 말했다. "이 두 가지 애정을 결합할 수 있으면 바랄 수 있는 모든 것을 다 얻게 될 수도 있지. 아마 결혼이 두 가지를 다 결합시킬 수 있는 적당한 때가 있겠는데, 그 때는 아버지가 되기에 너무 이르지도 않고 남편이 되기에 너무 늦지도 않은 때다."

공주가 대답했다. "시간이 갈수록 임락의 입에서 그렇게 자주 발설된 입장에 호감이 가도록 저의 견해를 굳히게 됩니다. 즉 '자연은 선물을 오른손에도 왼손에도 쥐어준다'는 말입니다. 희망에게 아양을 떨고, 욕망을 매혹시키는 이 두 가지 상황은 우리가 하나를 향해 달려가면 다른 하나로부터 물러나도록 형성되어 있습니다. 서로 상반되는 선善들이 있어서, 우리가 동시에 두 가지를 취할 수 없는 것이나, 지나치게 신중하다보면 그 양자 어느 것에서도 거리가 너무 멀어 우리는 그 사이를 지나쳐 버릴 수도 있지요. 오랜 숙고의 숙명이 흔히 이런 경우이지요. 즉 인간에게 허용된 이상의 것을 하려는 이는 아무것도 못하게 됩니다. 기쁨이라는 양극성에 의기양양해하지 마십시오. 당신 앞에 놓여 있는 축복을 선택하여 만족하세요. 어느 누구도 봄철의 꽃들에게서 나는 향기에 취해 있으면서 가을철의 열매를 맛볼 수는 없는 일이지요. 어느 누구도 나일강의 원류와 하류에서 동시에 물을 떠서 자기의 잔을 채울 수는 없지요."

제 30 장
임락이 들어와 주제가 바뀌다

이때에 임락이 들어와서 그들의 이야기가 중단됐다. 래설러스가 말했다. "임락이여, 공주에게서 사생활의 비참한 이야기를 이제껏 들어서 더 이상 탐색할 용기가 없소"

임락이 말했다. "제 생각에는 그대들이 삶의 선택을 하느라 삶 자체를 등한히 하고 있습니다. 아무리 크고 변화가 많은 도시라 해도 더 이상 새로움을 제공해줄 수 없는 한 도시를 그대들은 다녔을 따름이오. 그대들이 잊고 있는 것이 있소. 시민들의 지혜나 세력으로 고대 여러 제국들 사이에서 이름을 떨쳤던 바로 그 나라에 그대들은 지금 있소. 세계를 비춘 학문들이 최초로 동텄고, 개명된 사회나 가정생활에 대한 기술이 싹트기 시작한 그런 나라에 바로 있다는 사실을 잊고 있는 거요.

고대 이집트인들은 근면이나 위력에 있어서, 그 앞에선 모든 유럽의 웅대함이 시들해진다고 공언되는 그런 산업과 세력의 기념비를 후세에 남겼소 그들이 남긴 건축물의 잔해는 현재 건축가들의 배움터이고, 세월이 남겨둔 경이로움에서 세월이 파괴해놓은 것이 무엇인지를 비록 희미하게나마 우리는 추측할 수 있는 거요"

래설러스가 말했다. "나의 호기심은 부서진 돌더미나 흙더미의 언덕을 고찰하는데 있지 않습니다. 나의 관심사는 인간에게 있습니다. 내가 이곳에 온 것은 사원의 파편들을 측량하기 위함도 매몰된 수로를 추적하기 위함도 아니고, 오직 현대를 살고 있는 인간 세상의 여러 모습을 고찰하기 위함이오"

공주가 이야기했다. "우리 앞에 펼쳐져 있는 것들은 우리의 시선을 끌고 또 그럴만한 가치가 있는 거지요 고대의 영웅들이나 기념비들이 나와 무슨 상관이 있겠어요? 그 시대는 다시 돌아올 수 있는 시대도 아니고, 그 영웅들은 인간의 현재 상태가 필요로 하거나 허용하는 삶과는 판이하게 다른 삶을 살았던 다른 존재들이었는데요"

시인이 응수했다. "어떤 사물을 알기 위해선 우리는 그것의 영향을 이해해야 합니다. 즉 인간을 알기 위해선 우리는 그들이 남긴 작품을 보아야 합니다. 그래서 우리는 어떤 이성이 그들을 지시했고, 어떤 열정에 의해 자극 받았나를 배우게 되고, 그리고 무엇이 그들 행위의 가장 강력한 동기였나를 찾을 수 있지요 현재의 상태를 옳게 판단 내리기 위해선 우리는 그것을 과거의 상황에 대립시켜 보아야 합니다. 왜냐하면 모든 판단이란 상대적인 것이어서, 미래에 대해선 아무것도 알려진 바가 없기 때문이지요. 진실은 무엇인가 하면 어느 인간 정신도 현재에 몰두되어있지 않다는 것이지요. 과거를 돌이켜보는 것이나 미래에 대한 예측이 우리의 순간 순간을 거의 메우고 있는 겁니다. 우리의 격정은 기쁨과 슬픔, 사랑과 미움, 희망과 공포, 그런 것들이지요. 과거는 기쁨이나 슬픔의 대상이고, 미래란 희망과 공포의 대상이어서 사랑과 미움까지도 과거를 존중하게 되는데, 왜냐하면 원인이 결과 앞에 있었기 때문인 것이지요.

사물들의 현재 상태란 과거 상태의 결과인 만큼, 우리가 현재에 즐기는 선의 근원이 무엇인지를 또 우리가 당하고 있는 악의 근원이 무엇인지 탐색해내는 것은 당연한 일이지요. 만약 우리가 자신들만을 위하여 행동하고 역사의 연구를 등한히 한다면, 그것은 신중하지 못한 것입니다. 우리에게 타인에 대한 배려가 지워질 때 역사 연구를 등한히 한다면 그것은 정당하지 못한 것입니다. 무지란 그것이 자의적인 것일 때는 죄를 범하는 것이며, 한 개인이 악을 미리 막을 수 있는 방법을 배우기를 거부한다면 그가 마땅히 악한 사람으로 책망 받아도 마땅합니다.

역사의 어느 분야도 인간 정신의 발전을 서술하는 것처럼 일반적으로 유익한 것은 없습니다. 그것은 이성의 점진적인 개선, 과학의 지속적인 발전, 지식과 무지의 영고성쇠를 서술하는 것이고, 이들은 사고하는 존재들의 빛이고 어둠이고 예술의 소멸과 희생이요. 그리고 모든 지적인 영역의 순환인 것이오. 전쟁이나 침략의 서술이 군주들의 특정한 관심사라 할지라도 유용하고 섬세한 예술이 등한히 되어서도 안 되오. 다스릴 왕국이 있는 이들은 배양해야 할 지력도 지니는 것이지요.

구체적인 예가 훈시보다 효과 있는 겁니다. 군인은 전쟁에서 형성되고 화가는 그림을 그려야 합니다. 그 점에 있어서 사고하는 생활이 이점이 있지요. 거대한 사건들을 목격할 경우가 드물지만, 예술이 어떤 일을 해냈나 하는 것을 알고자 하는 이에게는 예술의 노작은 항상 목전에 있게 마련입니다.

우리의 시각이나 상상력이 비상한 작품을 대하여 인상 받게 되면, 활력 있는 정신의 다음 단계는 그 작품이 어떤 수단에 의하여 이루어졌나 하는 것에 쏠리는 겁니다. 여기에서 진정한 사고의 용도가 시작되지요. 그러면 우리는 새로운 생각으로 우리의 이해력을 확대시키고, 그리고 아마도 인류에게서 없어진 어떤 예술품을 복원하고 혹은 우리나라에 불완전하게 알려진 것을 배우게도 됩니다. 적어도 우리는 현재를 과거와 비교해보고, 우리 자신이 이룩한 선에 기뻐하든지 아니면 선으로 향하는 제 일 단계인 우리의 결함을 찾아내거나 하게 되지요."

왕자가 말했다. "내가 연구해볼 가치가 있는 모든 것을 이해했으면 좋겠소" 공주가 말했다. "저도 기꺼이 고대의 예절을 좀 배웠으면 해요"

임락이 말했다. "이집트인들의 위대성이 가장 찬란하게 남아있는 기념비며 수공업이 이룬 가장 방대한 산물의 하나는 피라미드요. 그 축조물은 역사시대 이전에 건축된 것이어서, 그에 대한 가장 오래된 기술도 다만 우리에게 불확실한 전설을 전해줄 따름이오. 이것들 중에서 가장 거대한 것이 아직도 서 있는데, 세월에 의해 거의 훼손되지 않은 채로 말입니다."

네카야가 말했다. "내일 피라미드를 구경했으면 해요. 피라미드에 대해 자주 들어왔는데 직접 눈으로 외부와 내부를 볼 때까진 마음을 진정시킬 수가 없네요."

제 31 장
그들이 피라미드를 찾아가다

이렇게 결정이 내려진지라 그들은 다음 날 출발했다. 그들은 낙타에 텐트를 싣고 갔는데 호기심이 충족될 때까지 피라미드 사이에 머물기로 작정했던 것이다. 그들은 천천히 여행을 하면서 눈길을 끄는 훌륭한 것에는 무엇에나 고개를 돌렸고, 때때로 여정을 중단하고 주민들과 이야기도 나누었다. 또 폐허가 되었거나 주민들이 살고 있는 도시들의 다양한 모습과 황폐했거나 또 인공적으로 가꾸어진 자연의 여러 모습을 관찰했다.

거대한 피라미드에 다다랐을 때 그들은 광대한 기초와 꼭대기의 높이를 보고 놀랐다. 세상이 지속되는 동안 그 존재를 지탱해 나갈 수 있도록 설계된 축조물을 위해 피라미드의 형태가 채택된 원리를 임락은 그들에게 설명해 주었다. 임락의 설명인즉, 상부로 올라갈수록 점차로 좁아 들어서 안정성을 주었고, 상존하는 폭풍우 같은 자연력을 물리칠 수 있고, 그리고 천재지변 중 가장 저항하기 어려운 지진 같은 것에 의해서도 쉬이 무너지지 않는다는 것을 보여주었다. 피라미드를 허물어뜨릴 만한 진동은 대륙 하나를 붕괴시킬 정도로 위력적이어야 한다는 것이었다.

그들은 피라미드의 사방을 측량해보고 발치에 천막을 쳤다. 다음 날 그들은 피라미드의 내부에 들어갈 준비를 하고 공공 안내인을 고용하여 첫 번째 통로로 올라갔다. 그 때 공주의 시녀가 공동空洞을 들여다보고는 물러나며 몸을 떨었다. 공주가, "페쿠아, 무얼 그리 두려워하지?"라고 물었다. 시녀가 대답하기를 "저 좁은 입구 좀 보세요. 끔찍하게 짙은 어둠이요. 태평치 않은 유령 같은 것이 살고 있는 것 같은 장소에 들어갈 엄두를 못 내겠네요. 이 무시무시한 궁릉천정의 원래의 주민들이 우리 앞에 튀어나올 것만 같아요. 그래서 우리도 영원히 여기에 갇혀버릴 것 같아요"라고 했다. 이렇게 얘기하고 양팔로 공주의 목에 매어 달렸다.

왕자가 말했다. "네가 두려워하는 것이 유령이라면 안전을 보장하마. 죽은 사람에게선 아무런 위험도 오지 않는다. 한번 매장된 자는 더 이상 나타나지 않는 법이란다."

임락이 말했다. "어느 시대나 어느 나라에서나 한결같이 논란이 되는, 죽은 이들은 더 이상 눈에 띄지 않는다는 얘기를 나는 받아들일 수가 없습니다. 무지하거나 유식하거나 간에 어느 민족도 그들 사이에 죽은 이의 유령이 언급되지 않거나 믿어지지 않는 나라는 한 나라도 없습니다. 인간 본성이 확산되는 한에 있어서 이 지배적인 견해는 그 진실성에 의해서만 만인에 의해서 받아들여질 수 있었지요. 서로 상대의 얘기를 들으려하지 않은 이들은 실제 체험이 아니고서는 아무것도 믿게

할 수 없는 그런 이야기에 대해서 의견의 일치를 보지 못했을 겁니다. 독불장군으로 트집 잡는 이들에 의해 의심되는 것이 일반적인 증거를 약화시키기는 어려울 겁니다. 그리고 말로는 유령의 존재를 부정하는 어떤 이들도 그것에 대한 두려움으로 유령의 존재를 자인하는 것이지요.

그러나 이미 페쿠아를 사로잡은 두려움에 새로운 공포를 더 할 생각은 없습니다. 유령들이 다른 장소들보다 피라미드에 더 자주 나타나리라는 이유는 없는 것이고, 그들이 순진하고 정결한 사람들에게 마력을 걸거나 해를 끼칠 이유도 없지요. 우리가 들어간다 해도 그들의 특권에 대한 침해가 아니고, 우리가 그들에게서 아무것도 빼앗을 수 없는데 어찌 그들을 불쾌하게 할 수가 있겠소?"

공주가 말했다. "내 소중한 페쿠아, 내가 줄곧 앞장을 서고 임락이 네 뒤를 따르면 될 것 아니냐. 네가 애비시니어의 공주를 대동하고 있단 것을 잊으면 안 돼."

시녀가 대답했다. "공주께서 시녀가 죽어도 좋으시다면 차라리 이 끔찍한 동굴 안에서보다는 덜 무서운 죽음을 명령하세요 공주께선 감히 제가 불복할 순 없단 걸 아시면서요 명령이시라면 가야지요 그러나 일단 들어가면 전 살아 나올 수 없어요."

공주는 타이르거나 야단을 쳐서 다스리기에는 시녀의 공포가 너무나 강렬한 것임을 알고 포옹해주고서 그들이 돌아올 때까지 막사에 남아 있으라고 했다. 페쿠아는 여전히 흡족하지 않아 피라미드의 후미진 곳에 들어가는 그런 무시무시한 목적을 쫓지 말라고 공주에게 애걸하였다. 네카야가 말했다. "내가 용기를 가르칠 수 없을지언정 비겁을 배울 순 없

126

다. 내가 감행하려고 여기까지 왔던 일을 안 한 채로 버려 둘 순 없는 일이지."

제 32 장
그들이 피라미드에 들어가다

페쿠아는 막사로 내려갔고 나머지 사람들은 피라미드로 들어갔다. 그들이 통랑通廊을 통하여 걸어가면서 대리석으로 된 궁릉을 훑어보고 설립자의 시체가 안치되었다고 생각되는 큰 궤를 조사했다. 그리고 돌아 나오기 전에 잠시 휴식을 취할 생각으로 널찍한 방에 자리를 잡고 앉았다.

임락이 말했다. "이제 우리는 중국의 만리장성말고는 인간이 만든 가장 거대한 작품을 똑똑히 보아 우리의 마음을 충족시켰습니다.

그 장성을 축조한 동기를 찾기는 대단히 쉽습니다. 그 성은 부유하지만 소심한 나라를 야만인들의 침입에서 안전케 함이요 그들은 야만스러워 기술에 있어서 뛰어나지 못한 지라, 근면에 의해서보다는 노략질에 의해 자기들의 필수품을 조달했고 또 독수리가 가금家禽을 내려 덮치듯이 시시때때로 평화로운 상거래 지역의 주거지에 물밀 듯이 밀려 닥쳐왔던 것입니다. 그들의 민첩한 행동과 난폭함이 그 장성을 필요하게 했고, 그들의 무지가 그 장성을 유효하게 유지해 주었습니다.

그러나 피라미드에 대해선 그것을 세우는 데 든 비용이며, 인력이 어느 정도였는지 어떤 계산으로도 설명이 되지 않습니다. 방이 협소한 것으로 미루어보아 그것이 적으로부터 도피처를 마련해주는 것이 아니란 증거가 되지요 그리고 진기한 보물들을 이 정도로 안전하게 간수하기 위해선 훨씬 적은 비용으로도 비장할 수가 있었을 겁니다. 아마도 인생을 끊임없이 괴롭히는, 그래서 무슨 일에 몰두해서만 달랠 수 있는 상상력의 배고픔을 추종한 나머지 축조한 것인 듯싶습니다. 자기네가 즐길 수 있는 모든 것을 지닌 사람들은 그들의 욕망을 더 늘려야 하는 거지요 사용할 목적으로 축조한 이는 용도가 충족될 때 이르러서는 허영심을 위해 축조하기 시작해야 하고, 인간 행위의 최극단의 능력에 미치도록 그의 계획을 확대해서 그가 또 다른 소망을 품는 상태로 전락치 않도록 되기 위함이지요

이 거대한 구조물은 인간 쾌락이 충족될 수 없음을 나타내는 기념비라고 나는 생각합니다. 세력이 무한하고 그의 보물이 모든 실제적인 상상적인 욕구를 능가하는 한 왕이, 자기의 지배력을 행사하는데 싫증이 나고 쾌락을 쫓음에 무미함을 느끼게 되어 피라미드의 축조로 위안을 삼았을 거고, 수천의 인부들이 목적 없이 돌 위에 또 하나의 돌을 더하는 일을 끝없이 계속하는 것을 보면서 노년의 단조로움을 달랬겠지요 그대가 누구이든 간에 평범한 여건에 만족하지 않고 왕위의 호화로움에 행복이 있다고 상상하거든, 또 군림하고 부를 누리는 것이 무한한 만족감으로 진기함에 대한 욕망을 채워준다고 꿈꾸는 이는, 피라미드를 돌아보고 그대의 어리석음을 자인하시오!"

제 33 장
공주가 예기치 못한 재난을 당하다

그들이 자리에서 일어나 처음 들어갔던 공동을 지나 돌아 나왔을 때, 공주는 어두운 미로迷路에 대한 이야기, 사치스런 방들이며 여러 가지 것들에 대해서 자기가 받은 인상을 시녀에게 들려줄 마음의 준비를 했다. 그러나 그들이 수행원들에게 돌아왔을 때 그들 모두가 기가 죽어 말이 없었다. 남자들은 표정에 수치와 공포가 역력했고 여자들은 막사 안에서 울고 있었다.

무슨 일이 있었나 추측하지 않고 곧 캐어물었다. 한 시종이 대답했다. "당신들이 피라미드로 들어가자마자 아랍인 무리가 몰려왔지요. 우리가 대항하기에는 중과부적이었고 도망치기도 늦었지요. 그들은 천막을 샅샅이 뒤질 참이었어요. 우리를 낙타에 싣고 뒤에서 몰아대는 것입니다. 그

130

순간 터어키 기마병들이 뒤쫓아오자 그들은 도주했지요. 그런데 그들이 페쿠아 시녀를 두 하녀와 함께 잡아선 데리고 갔습니다. 우리가 거듭 간청하여 터어키 사람들이 그들을 뒤쫓고 있으나 그들을 따라잡지는 못할 것 같은 생각입니다."

공주는 놀라움과 슬픔에 압도되었다. 래설러스는 분개하여 솟아오르는 열기에 들떠 하인들더러 뒤따르라 하여 군도를 휘두르며 강도들을 뒤쫓을 준비를 했다. 임락이 말했다. "왕자님, 폭력이나 용기에서 무엇을 바랄 수가 있습니까? 아랍인들은 말을 탔고 싸움에도 퇴각에도 훈련된 사람들이오 우린 단지 짐 싣는 짐승만이 있소 이 자리를 떠나게 되면 우린 공주를 잃을 지도 모르고 페쿠아를 되찾을 수 있는 희망은 없습니다."

적을 잡지 못하고 터어키인들이 곧 돌아왔다. 공주는 다시 통곡하기 시작하였고 래설러스는 그들을 겁쟁이들이라고 꾸짖지 않을 수 없었다. 그러나 임락은 아랍인들의 도주는 자기들의 재앙을 더해주는 것은 아니란 의견이었다. 왜냐하면 아마도 그들이 포로를 돌려주었기보단 죽였을 수 있었기 때문이었다.

제 34 장
그들은 페쿠아를 잃은 채 카이로로 돌아오다

더 머물러 봐야 바랄 것이 없었다. 그들은 자신들의 호기심을 후회하면서, 당국의 무성의함을 비난하고, 호위병을 고용하기를 등한히 한 자신들의 경솔했음을 한탄했고, 페쿠아의 상실을 방지했을 수도 있었을 여러가지 방편도 상상해보고, 또 시녀를 되찾을 방책을 강구해 보았으나 어느 누구도 마땅히 해야할 일이 무엇인지 알아내지 못했다.

네카야는 자기 방으로 물러났는데, 하녀들은 누구나 나름대로 어려움을 겪는다는 말을 하며 공주를 위로하려 했고, 페쿠아는 세상에서 오랫동안 행복을 누렸고 아마도 운명의 변화를 몸소 예기했을 수도 있었을 거란 말을 했다. 그들은 그녀가 어디에 있든 어떤 좋은 일이 그 여자에게 닥쳐오기를 바랐고, 공주가 페쿠아의 자리를 대신할 수 있는 또 다른 친구를 찾아낼 수 있기를 기대했다.

공주는 그들에게 아무 대꾸도 않았으나 그들은 계속해서 위로의 예절을 표시했다. 그러나 그들은 공주가 아끼는 시녀를 잃었다 해서 별로 마음 속으로 슬퍼하지 않았다.

다음 날 왕자는 자기가 처한 억울한 일을 기술한 진정서와 시정을 요구하는 청원서를 총독에게 송부했다. 총독은 강도들을 벌하겠다고 했으나 포로를 잡을 대책도 세우지 않고 추적할 것을 지시하지도 않았다. 당국이 속수무책이란 사실이 곧 드러났다. 주지사들도 벌할 수 있는 것보다 더 많은 범죄에 대해 듣고, 시정할 수 있는 것보다 더 많은 과오를 듣는 데 익숙한 나머지, 무관심하게 등한히 하여 안일에 빠졌고, 청원자의 모습이 사라지는 동시에 곧 청원서에 대해서도 잊어버렸다.

그래서 임락은 개인 탐정에게서 애써 정보를 얻으려 했다. 많은 사람들을 만났는데 그들은 아랍인들의 본거지를 모두 샅샅이 알고 있고, 그들의 두목들과 정규적으로 교신을 한다고 장담하며 페쿠아를 되찾는 일에 곧 착수했다. 이들 중에 어떤 이는 여정에 드는 비용을 받았으나 돌아오지 않았다. 어떤 이들은 진술에 대해 후히 사례를 받았지만 수일 후에 허위인 것으로 드러났다. 그러나 공주는 아무리 터무니없어 보이는 것이라도, 어떤 수단도 시도해보지 않은 채로 두려하지 않았다. 공주가 무슨 일이든 하는 동안에는 희망이 지속되는 것이었다. 한 가지 방편이 실패로 끝나게 되면 또 한 가지 방편이 제시되었고, 한 전갈이 성공하지 못하고 돌아오면 또 다른 지역으로 다른 전갈이 급파되었다.

이 개월이 지났는데도 페쿠아의 생사조차 알 수 없었다. 서로 서로에게 북돋으려고 애쓰던 희망은 점점 시들어지고 더 이상 시도할 일이 없다는 것을 알게 된 공주는 절망에 빠져 위안을 찾을 수 없어 주저앉았다. 자신이 시녀를 뒤에 남도록 한 안일했던 승낙에 대해 수천 번이나 자책했다. 공주는 말했다. "시녀를 어리석을 정도로 아낀 나머지 내 권위를 떨어뜨리지 않았던들, 페쿠아가 자신의 공포심을 감히 표시하지 못했을 건데. 그 애가 유령보다 나를 더 두려워했어야 하는 건데. 왜 어리석은 관대함이 나를 사로잡았던가? 왜 내가 생각을 말로 표시하지 않았고 그 시녀의 말을 듣기를 마다하지 않았던가?"

임락이 말했다. "높으신 공주님이시여, 그대의 미덕에 대해 자책하지 마옵소서. 또 뜻하지 않게 악에 의해서 야기된 것을 책망하지도 마세요. 페쿠아의 겁 많은 것에 공주님이 보이신 다정함은 관대함이고 친절이셨습니다. 우리가 도덕성에 따라서 처신한다면 법칙에 의해 우리의 행동을 지배하는 그에게, 또 복종한다면 마침내 벌을 내리지 않을 그에게 사건을 맡기는 것입니다. 어떤 자연적 혹은 도덕적인 선을 예기하여 규정된 법을 우리가 지키지 않으면, 우리는 더 우월한 지혜의 지시에 따르는 것이 아니어서 그 모든 결과를 우리가 지게 됩니다. 인간은 옳은 일을 하기 위해서 악을 감행해도 좋을 만큼 원인이나 결과의 관계를 잘 알 수 있는 존재가 아니옵니다. 우리가 목적하는 바를 합법적 수단에 의하여 추구할 때는 우리는 항상 미래의 보상에 대한 희망을 품고, 우리의 과오에 대해 위안을 지닐 수가 있습니다. 우리가 자신만의 수단을 쫓아서 옳고 그름의 확정된 경계를 뛰어 넘어서 선에 이르는 가까운 길만을 찾고자 하면 성공을 거둔다 해도 우리는 행복하지 않습니다. 왜냐하면 죄에 대한 자의식을 피할 수 없기 때문이지요. 그리고 우리가 실패를 하게 될 때는 실망이란 치유될 수 없을 정도로 쓰라린 것입니다. 죄에서 오는 번민과 죄를 저질러

자초한 재난의 슬픔을 한꺼번에 느끼는 이의 슬픔에 어찌 위안이 있을 수 있겠나요?

공주님, 만약 페쿠아 시녀가 따라가겠다고 애원했는데 막사에 남아 있으라고 해서 납치됐다고 할 경우, 공주님의 입장이 어떠했겠나 생각해 보시지요 아니면 시녀를 억지로 피라미드로 들어가게 했는데 공포로 인한 고통으로 공주님 앞에서 죽었다고 하면 어떻게 그 생각을 참을 수 있었겠나 생각해 보시지요"

네카야가 대답했다. "그런 일이 생겼다면 지금까지 내가 생명을 부지하지 못했을 거예요. 그런 잔인성을 생각하면 고통받아 미쳐버렸거나 아니면 자신이 혐오스러워 시들시들 말라가겠지요"

임락이 말했다. "이것이 적어도 우리의 미덕 있는 행동이 현재 받는 보상이지요. 즉 어떤 불운한 결과도 우리들로 하여금 그것에 대해 후회하도록 할 수는 없다는 것입니다."

제 35 장
페쿠아가 없어 공주가 슬퍼하다

이렇게 하여 네카야는 스스로 자위하게 되고, 어떤 재난도 죄책감과 함께 하지 않을 경우를 제외하고는 견딜 수 없는 것이 아니란 것을 알게 됐다. 그때부터 폭풍처럼 밀어닥치는 격한 슬픔에서 해방되고, 침묵 속에 잠기게 되는 우울함과 암울한 평정 속에 젖어들었다. 공주는 아침부터 저녁까지 앉아서 페쿠아가 한 이런 저런 일이며 또 이런 저런 얘기를 회상하는 일에 보냈고, 페쿠아가 대수롭지 않게 여겼던 자질구레한 것들이며, 또 사소한 사건이나 무심했던 이야기 같은 것을 마음에 일깨워주는 것들을 일일이 소중히 간직하는 것이었다. 더 이상 볼 수 없으리라고 여겨지는 페쿠아에 대한 감회는 삶의 규범으로써 자신의 기억 속에 소중히 간직되었고, 다른 어떤 목적도 제쳐놓고 단지 이런 경우에 페쿠아가 어떤 생

136

각을 하고 무슨 조언을 했겠나 하는 것만을 궁리해 보는 것이었다.

공주를 시중드는 여인들은 공주의 내심이 어떤 상태인지 아는 바가 없었고, 그래서 공주는 그들에게 조심하고 자제하여서만 얘기를 건넸다. 공주는 마음 편히 표현할 수 없는 생각들을 상기하고자 하는 저의가 대단치 않아서 호기심이 줄어들기 시작했다. 래설러스는 처음에는 공주를 위로하려 했고, 후에는 주의를 다른 곳으로 돌리려 했다. 악사를 고용해 연주를 시키면 음악에 귀 기울이는 것 같았으나 실제로는 듣지 않았다. 그래서 대가들을 고용하여 여러 가지 기예를 가르쳐주려 했다. 선생들이 다음 번에 오게 되면, 강의를 다시 반복해야 했다. 공주는 쾌락에 대한 감각도 잃었고 뛰어나고자 하는 야심도 없었다. 공주의 마음은 억지로나마 잠시 옆길로 벗어나기는 했지만, 다시 친구에 대한 영상을 되살리는 것이었다.

임락에게 매일 아침 탐문을 해보라는 일이 맡겨졌고, 공주는 매일 저녁이면 페쿠아의 소식을 들었는지 질문을 했다. 공주가 바라는 답을 들려줄 수 없게 되어서 마침내 임락은 공주 앞에 나타나기를 꺼리게 될 지경이었다. 공주는 임락이 꺼려하는 태도를 알아채고 불러 세워서 말하기를 "공께선 조바심과 원망을 혼동해선 안 됩니다. 내가 그대의 성공하지 못함을 한탄한다 해서 그대의 방심을 탓한다 생각진 마세요. 그대가 보이지 않는다고 크게 의아해 하지도 않습니다. 저도 잘 알지요. 불행한 자는 결코 남을 즐겁게 해주지 못한단 것을, 그리고 누구나 똑같이 슬픔의 감염을 피한단 것도 알아요. 불평을 듣는 것은 불행한 사람이나 행복한 사람에게나 똑같이 지겨운 일이지요. 인생이 우리에게 허용하는 즐거움의 짧은 빛을 누군들 우발적인 슬픔으로 구름지게 하기를 바라겠어요? 또 누군들 자신의 재난에 빠져 몸부림치면서 타인의 슬픔까지 더해지기를 바라 겠어요?

어느 누구도 네카야의 한숨에 더 이상 마음 상할 일 없는 시간이 임박 했어요. 행복의 탐색이 이제는 종말에 달했어요. 저는 모든 아첨과 속임수 뿐인 이 세상에서 물러나, 자신의 생각을 정리하고 끊임없이 계속되는 깨 끗한 일을 하여 시간 시간을 규칙적으로 보내는 일 말고는, 아무것도 개 의치 않고 정적 속에서 숨어살기로 결심했어요. 그리되면 모든 세속의 욕 망에서 해방되어 청정한 마음으로 만인이 서둘러 달려가는 그런 세상으 로, 그곳에서 페쿠아와 우정을 다시 누릴 수 있는 희망을 품을 수 있는 그 런 곳으로 들어가게 될 거예요."

임락이 말했다. "공주님, 돌이킬 수 없는 결심들로 그대의 마음을 헝 클지 마시고, 자의로 슬픔을 쌓아서 삶의 무거운 짐을 더하지도 마소서. 페쿠아의 상실이 잊혀질 땐 은둔의 고달픔이 지속되고 늘어날 겁니다. 그 대가 한 가지 기쁨을 빼앗겼다고 해서 그 밖의 기쁨까지도 거부하는 것은 합당한 것이 못됩니다."

공주가 말했다. "페쿠아를 빼앗긴 이상 내게는 거부할 또는 지속시킬 아무런 기쁨도 없습니다. 사랑할 데도 의지할 데도 없는 한 여인이 바랄 수 있는 것은 아무것도 없어요. 그런 여자는 행복의 기본적인 요소가 없 는 겁니다. 아마도 이 세상이 줄 수 있는 만족이란 부와 지식과 선의 결합 에서 생겨나야 한다고 하겠지요. 부란 나누어줄 수 있는 경우가 없다면 무용지물이고, 지식이란 그것이 전달되어지는 경우가 없으면 아무것도 아 니거늘, 그래서 그것들이 타인에게 나누어져야 하는데, 이제 누구에게 내 가 그것들을 전해주어 기쁘겠어요? 선행만이 동반자 없이 느낄 수 있는 유일한 위안이거늘 그것은 은둔생활에서도 실천될 수 있는 것 아니겠나요?"

임락이 대답했다. "고독하게 혼자 살아서 얼마나 선을 수용하고 얼마나 그것을 발전시킬 수 있나 하는 것은 당장 토론하고 싶지 않사옵니다. 우리가 만난 경건한 은둔자의 고백을 잊지 마십시오 친구의 영상이 그대의 생각에서 떠날 때 공주께선 이 세상으로 다시 돌아오기를 원할 겁니다." 네카야가 말했다. "그런 시간은 결코 오지 않을 겁니다. 다정한 페쿠아의 아량 있는 솔직함이나 품위 넘치는 순종, 저버릴 줄 모르는 둘만의 마음을 지키는 것은 살아가면서 악과 우행을 보면 볼수록 더 소중하게 여겨질 겁니다."

임락이 말했다. "불시의 재난을 당한 마음의 상태란 전설에 나오는 새로 창조된 지구에 처음 살았던 주민들의 정신 상태와 같은 것이어서, 첫날 밤이 그들에게 닥쳐올 때 낮이 다시 오지 않으리라 상상하지요 슬픔의 구름이 우리를 덮을 때 그 너머 있는 것은 전혀 보이지 않고 구름이 걷힐 것을 상상하지도 못합니다. 그러나 밤에 이어 새날이 밝아오고, 슬픔이란 결코 오래 지속되지 않는 것이어서 안락의 새벽이 오게 됩니다. 그러나 위안을 받지 않으려 하는 이는, 날이 어두워졌을 때 눈을 빼버리려던 최초의 야만인들이 하려던 그런 행동을 하지요 우리의 마음은 우리의 몸과 마찬가지로 끊임없이 변화하는 것이어서, 순간 순간 무엇인가 상실하게 되고 순간 순간 얻게 되는 것입니다. 한꺼번에 너무 많이 잃게 되면 몸과 마음에 불편을 가져오나, 생명력이 손상되지 않은 채로 유지되면 자연은 배상을 위한 수단을 마련할 겁니다. 거리가 시각視覺과 관계 있는 것과 마찬가지로 마음에도 영향을 미칩니다. 그래서 우리가 시간이란 줄기를 따라 흘러 내려가면 우리가 뒤에 남겨 놓은 것은 으레 작아지고, 우리가 가까이 다가가는 것은 크기가 점점 커지는 겁니다. 인생이 침체되도록 내버려두지 마십시오. 그러면 점점 운동의 부족에 따라 진흙구덩이가 되지요. 세상의 물결에 가담하세요. 페쿠아는 점점 더 사라져갈 겁니다. 살아가노라면 또 다른 소중한 시녀를 만나게 되고, 여러 사람과 대화하여 당신의 관심을 여러 갈래로 옮길 수 있게 되도록 하세요."

왕자가 말했다. "적어도 절망은 말거라. 모든 구제책을 다 시험해 보기 전에는. 그 불행한 시녀의 행방에 대한 탐문은 아직도 계속되고 있는 중이고, 공주가 어떤 확고부동한 결심을 하지 않고 일 년만 더 기다리겠다는 약속을 하는 조건 하에서면 탐문이 더 열심히 지속될 거다."

네카야는 이것이 합당한 요구로 생각되어, 그런 약속을 얻어내라는 임락의 권고를 받은 오라버니 왕자에게 약속을 했다. 페쿠아를 찾아낼 희망은 별로 없었으나 일 년이란 세월을 확보하면, 공주가 그때 가서는 은둔 생활로 들어갈 위험은 없게 되리라고 임락은 생각했다.

제 36 장

페쿠아 아직 기억되다. 슬픔의 경과

자기 시녀를 찾기 위해 어떤 일도 시도되지 않은 것이 없음을 알고 있는 네카야는 약속하여 은둔 생활을 멀리 정해 놓은 지라, 일상의 관심사와 일상의 기쁨으로 눈에 띄지 않을 정도로 서서히 돌아왔다. 공주는 자신도 모르는 사이에 슬픔을 느끼는 것이 정지되어 기뻤고, 자기가 결코 잊지 않으리라고 결심한 시녀를 기억하는 것으로부터 자신의 마음이 이탈되는 경우는 분개했다.

그래서 공주는 하루의 일정한 시간을 정해서, 페쿠아의 미덕과 다정함을 묵상하는 일에 바쳤고, 몇 주일 동안 계속 정해진 시간에 물러났다가, 퉁퉁 부은 눈과 침울한 안색을 하고 돌아왔다. 점차로 공주는 세심하기가 덜 해가고, 중요하고 긴급한 일 때문에 매일 있는 눈물의 봉헌을 미루게 되었다. 다음에는 예식을 등한히 하게 되고, 마음에 떠오를까 봐서 염려되는 것을 가끔은 잊어먹기도 하고, 마침내는 주기적인 슬픔에서 나오는 임무를 완전히 그만두게 되었다.

페쿠아를 향한 공주의 진정한 애착은 아직 경감되지 않았다. 수천 가지 일들이 시녀를 생각나게 했고, 우정에서 우러나오는 믿음이 아니고서는 그 어느 것도 줄 수 없는 천 가지의 욕구가 공주로 하여금 자주 서운한 마음이 들게 했다. 그래서 공주는 임락에게 탐문을 중단하지 말고, 어느 정보상의 묘책도 시도하지 않은 채로 두지 말아 달라고 사정했는데, 그것은 적어도 등한히 함이나 게으름 때문에 피해를 입지는 않았다는 것으로 위안 받기 위한 것이었다. 공주는 말했다. "행복 자체가 슬픔의 원인이 되는 그런 인간 상황을 알게 된 만큼, 행복의 추구에서 우리가 무엇을 기대할 수 있겠습니까? 또 대체 소유가 보장될 수 없는 것을 우리가 얻으려 애쓰는 것은 무슨 연유에서인지요? 그러므로 이제부터 아무리 찬란한 것이라도 훌륭함에 마음을 쏟기도 두렵고, 아무리 다정해도 애정으로 마음이 쏠릴까봐 두렵습니다. 왜냐하면 페쿠아에게서 잃은 것을 또 다시 잃을까봐 두렵기 때문이지요"

제 37 장
공주가 페쿠아 소식을 듣다

공주에게서 약속을 받은 바로 그 날 파견되었던 사자 한 사람이 실패에 실패를 거듭한 후 칠 개월이 지나서야 누비아*의 변경에서 돌아와서, 페쿠아가 아랍추장의 수중에 있고 그는 이집트의 변경에 성인지 요새를 소유하고 있는 사람이란 것을 전했다. 수입의 근거가 약탈인 이 아랍사람은 시녀와 두 명의 하녀를 돌려줄 생각인데 조건은 금화 이백 냥이었다.

금액은 논란거리가 되지 않았다. 공주는 시녀가 생존한다는 것과 그렇게 싼 몸값으로 되찾을 수 있다 해서 어쩔 줄을 몰라 했다. 공주는 잠시도 페쿠아의 행복이나 자신의 행복이 지연되는 것을 생각할 수 없어서, 요구하는 전액을 주어 사자를 돌려보내라고 오라버니에게 부탁했다. 자문을

---

* 누비아: 나일강 연안의 북동 아프리카의 고대왕국

143

청해본 즉, 임락은 그 얘기를 전한 이의 진실성에 대해 확신하지도 못했고, 또 아랍사람의 신뢰성에 대해서는 훨씬 더 의심스러운 것이어서, 아랍인을 지나치게 믿었다가는 돈도 잃고 포로도 그대로 억류할지 모른다고 의심했다. 그는 또한 그의 구역으로 가면 아랍사람의 세력권 내에 자신들이 빠질 위험이 있다고 생각했고, 또 그 유랑자가 총독 휘하의 군대에게 포로가 될 수도 있는 아래 지역까지 와서 그들의 정체가 드러나게 할거라고는 기대하기 어렵다고 생각했다.

쌍방 어느 한 쪽도 신임을 하지 못할 경우에 협상을 하기란 어려운 일이다. 그러나 임락은 숙고해 본 나머지 사자에게 다음과 같이 제의를 하라고 지시했다. 즉 페쿠아가 북부 이집트에 위치한 성^聖 안토니 수도원으로 열 사람의 기마병에 의해 인도되고, 이쪽에서도 꼭 같은 숫자의 사람이 나가 거기서 시녀의 몸값이 치러지도록 하자는 것이다.

그 제의가 거부되지 않으리라고 기대한 만큼 시간을 놓칠세라 즉각 수도원으로 길을 떠났다. 거기에 도착하자 곧 임락은 사자를 대동하고 아랍인의 요새로 향했다. 래설러스도 그들과 동행하고 싶은 생각이 들었으나 누이동생도 임락도 허락하지 않았다. 아랍사람은 자기나라의 관습에 따라서 자기네 세력권 내에 들어온 그들에게 온갖 성의를 다하여 환대의 예절을 베풀었고, 수일이 지나서 순탄한 길을 따라 하녀와 함께 페쿠아를 약속한 장소로 데려왔다. 그리고 그는 조건으로 제의된 액수를 받고 나서, 정중한 경의를 표하여 자유의 몸이 된 시녀를 돌려주고, 강탈이나 폭행의 위험을 무릅쓰고 카이로까지 그들을 수행 안내하는 일을 맡았다.

공주와 시녀는 표현키 어려운 격렬한 기쁨에 빠져 서로 부둥켜안고 함께 밖으로 나가서는 남들이 보지 않는 곳에서 눈물을 쏟았다. 그리고는 애정과 감사에서 나오는 이야기를 나누었다. 몇 시간이 지나서야 그들이 수도원의 휴게실로 돌아왔고, 수도원장과 수사들이 있는 자리에서 왕자는 페쿠아에게 자신의 모험담을 들려 달라고 부탁했다.

제 38 장
페쿠아 시녀의 모험담

　페쿠아가 이야기를 시작했다. "제가 강제로 납치된 때나 방법은 하인
들 애기를 들으셔서 아실 겁니다. 사건의 갑작스러움에 놀랐고 처음에는
공포나 슬픔에서 오는 격정에 의해서 당황하기보다는 차라리 망연실색했
습니다. 도주의 속도와 소란스러움으로 혼란이 가중됐고, 우리를 뒤쫓던
터어키인들은 따라잡기를 곧 포기했던 것 같아요. 위협을 표시했던 이들
에 대해 두려움을 느낀 탓인 것 같아요.
　아랍인들은 위험을 벗어났다 생각하여 속력을 줄이고, 저도 난폭한 외
적에게 괴롭힘을 덜 당하게 되자, 마음속에 더 불안한 생각이 들기 시작
했습니다. 얼마가 지나서 상쾌한 초원에 나무들이 그늘을 드리운 샘 가에
멈추자, 말에서 내려 주인들이 함께 마시는 음료를 들었습니다. 저는 그들

에게서 떨어진 곳에 하녀들과 자리를 함께 하고 있었고, 누구도 우리를 위로하려 하지도 모욕하려 하지도 않았지요 여기서 비로소 제가 처한 슬픔의 중압감을 느끼기 시작했지요 하녀들은 소리 없이 앉아서 눈물을 흘렸고, 위로를 바라는 나머지 가끔 나를 쳐다보곤 했지요 저는 어떤 운명에 처했는지 종잡을 수 없었고, 우리가 어디에서 포로 생활을 하게 될지 추측할 수도, 어디에서 해방의 희망을 얻을 수 있을지도 몰랐어요 저는 약탈자 야만인의 수중에 있었고, 그들의 연민이 의로움보다 더하리라든지 그들이 과격한 욕망의 충족이나 변덕스런 잔인함을 삼갈 것이라 상상할 만한 근거도 없었습니다. 그러나 전 하녀들에게 입 맞추어주고 그들의 마음을 진정시켜주기에 여념이 없었지요 즉 우리가 공손히 대접을 받았고 이제 추적 당할 염려가 없는 곳까지 이송되어온 만큼 우리의 생명을 해칠 위험은 없다고 얘기해 주었습니다.

우리가 말에 다시 실렸을 때, 하녀들이 제 주위에 매달리며 떨어지지 않겠다고 하기에, 수중에 우리를 넣고 있는 그들을 도발하지 말라고 애들에게 명했지요. 우리는 인적도 없고 길도 없는 지역을 하루의 나머지 시간 동안 여행을 했고 마침내 달빛 아래 언덕의 기슭에 당도했습니다. 거기에는 또 한 떼의 사람들이 진주하고 있었지요. 천막을 치고 불을 밝혔으며, 추장은 추종자들에게서 크게 사랑을 받는 인물로 환영을 받았습니다.

우리는 커다란 막사로 들어갔는데, 거기에는 그 원정 나온 남편들을 시중들던 여인네들이 있더군요 그들은 자기네가 마련한 저녁을 우리 앞에 차려 놓았습니다. 그래서 전 자신의 식욕을 채우기보다는 하녀들을 격려하려는 뜻에서 먹었지요 음식이 치워지고 그들은 취침용 양탄자를 폈습니다. 나는 고단했고 신체적 본성이 거부치 않는 잠에서 슬픔의 완화를 얻을 희망이었어요. 그래서 내 옷을 벗기도록 명하였더니, 제가 그처럼 순종하는 태도로 시중을 받으리라고 그들은 예기하지 못했는지, 그 여인들이 저를 유심히 지켜보는 것이었지요. 윗 조끼를 벗었을 때, 제 의복의 호화로움에 놀라워하며, 여인들 중 하나가 수놓은 장식을 조심스럽게 손으로 더듬더군요. 그리고는 천막을 나가더니 잠시 후 더 지위가 높고 더 위엄 있어 보이는 또 한 여인과 함께 돌아왔어요. 그 여자는 들어오면서 흔히 하는 인사를 하고 제 손을 이끌어 작은 천막으로 데려가더니, 더 좋은 양탄자를 펴주어 하녀들과 편안히 밤을 보냈지요.

다음날 아침 잔디에 앉아 있는데, 추장이 내게로 왔습니다. 맞이하려 일어났더니 대단히 공손하게 인사하며 그가 말했습니다. '귀부인이시여, 저의 행운이 기대했던 것 이상이옵니다. 여인들이 말하는데 내 진영에 공주가 있으시다고 하더군요.' 저는 대답했지요. '추장이시여, 그들도 모르는 소리를 당신에게 했지요. 나는 공주가 아니고 다만 이 나라를 곧 떠날까 하던 불행한 낯선 사람에 불과합니다. 그런데 이렇게 영원히 갇힌 신세가 되었습니다.' 아랍인이 말했어요. '그대의 신분이 누구이시고, 어디에서 오셨던 간에 입고 있으신 의상과 하녀들의 의상이, 신분이 높으시고 재산이 대단하심을 말해줍니다. 몸값을 쉽게 마련하실 수 있을 텐데 당신께서 어찌 영원히 포로가 될 위험에 처해있다고 생각을 하시는지? 내가 습격하는 목적은 재산을 증식하기 위한 것이고, 더 정확히 말해서 공물을 거두기 위함이지요. 이쉬마엘*의 후손들은 이 대륙 이 지역의 당연한 세습상의 주인들인데, 후세의 침입자들과

---

* 이쉬마엘: 에이브럼과 헤이거의 아들(창세기, 16:11-12)

하급폭군들에게 강탈당했고, 정당성에 의하면 마땅히 받을 것을 거부당한 몫을 우리는 무력에 의해서 취할 수밖에 없지요. 전쟁의 폭력은 분별을 인정치 않아, 죄악이나 권력에 대해 추켜 올린 창이 가끔 무죄하거나 유순한 사람에게 떨어지기도 합니다.'

제가 말했습니다. '어제는 그 창이 내게 떨어지리라고는 상상도 못했지요.'

아랍인이 대답했습니다. '재난은 항상 예기되어야 하는 것이지요. 만약 적의를 품은 눈이 존경이나 연민을 배울 수 있다면, 부인과 같은 지체 있으신 분은 해를 당하지 않았을 겁니다. 그러나 슬픔을 입히는 천사는 덕 있는 이나, 사악한 이나, 높은 이나, 낮은 이나 할 것 없이 똑같이 올가미를 던집니다. 슬퍼하지는 마시지요. 저는 사막에 있는 잔인무도한 강도하고는 다릅니다. 저는 문명사회의 법도를 압니다. 제가 몸값을 정하고 부인의 사자에게 통행증을 주어 지체 없이 약정을 이행하지요.'

그의 예절바름에 제가 만족스러웠단 것 믿으시겠지요. 그리고 그의 주된 열정이 돈에 대한 탐욕이란 것을 알고 난 만큼 위험이 덜하다고 생각하게 됐지요. 왜냐하면 어느 액수도 페쿠아를 해방시키기에 과도한 액수가 될 수 없단 것을 알고 있었기 때문이에요. 그에게 들려주기를 내가 친절한 예우를 받으면 장차 나 더러 배은망덕 하다고 그가 비난할 일이 없을 것이란 것과 평범한 여자에게서 기대되는 어떤 액수의 몸값도 지불되리란 것, 그리고 나를 공주로 등급 매기기를 고집해서는 안 된다는 것을 그에게 들려주었습니다. 그는 얼마를 요구해야 할지 생각해 보겠다면서 인사를 하고 물러났습니다.

곧 여인들이 내 주위에 몰려와서 남보다 더 호의를 베풀려고 서로 겨루는 것 같았고, 제 하녀들도 정중한 예우를 받았습니다. 짧은 여정에 따라서 앞으로 여행해 나갔지요. 나흘째 되던 날 내 몸값이 금화 이백 냥이 되겠다고 추장이 말해서 그 액수를 그에게 약속했을 뿐 아니라, 또 하녀들이 명예롭게 대접받게 되면 거기에 오십 냥을 더하겠다는 애기도 해주었습니다.

전 그전에는 미처 금화의 위력을 알지 못했지요. 그때부터 저는 그 무리의 지도자가 됐지요. 매일 하는 행진은 제 지시에 따라 길기도 짧기도 했고 천막은 제가 쉬려고 하는 지점에 쳐졌습니다. 우리는 낙타며 여행에 소용되는 그 밖의 용구들을 가지고 있었고 하녀는 항상 제 곁에 있었습니다. 저는 유랑인의 예절을 관찰하느라, 또 멀고 먼 옛날에 이 버림받은 나라들을 호화찬란하게 장식했을 고대 축조물들의 잔해들을 보느라 즐거이 소일했지요.

그 무리의 추장은 결코 문맹이 아니었어요. 그는 별이나 나침반을 이용해서 여행할 줄 알았고, 또 일정하지 않은 원정길에서 길손의 눈을 끌 만한 가치가 있는 그런 지점을 표시해 주기도 했고요. 그리고 제게 이야기 해 주기를, 건축물이란 인적이 드문 장소나 사람의 접근이 어려운 곳에서 가장 잘 보존되는 것이라 하더군요. 왜냐하면 일단 한 나라가 태고의 찬란함에서부터 쇠퇴하기 시작하면, 주민이 많으면 많을수록 더 빠른 시일 내에 폐허가 생겨나기 때문이라 하더군요. 성벽이 채석장보다 돌을 더 용이하게 공급하는 거고, 궁전이나 사원이 대리석 마구간을 만들거나 거기서 나온 경암석으로 누옥을 짓기 위해 허물어지기 때문이지요"

제 39 장
페쿠아의 모험담 계속

　"추장이 얘기한 것처럼 저의 만족감을 채워주기 위해선지, 아니면 제가 짐작했듯이 자기의 편의를 위해서인지, 이런 식으로 몇 주일이나 우리는 방랑을 했지요. 시무룩해 하거나 불쾌함을 나타내봤자 소용이 없는지라 저는 만족스러운 표정을 지으려고 애를 썼고, 그런 노력이 저의 마음을 평정시키기는 했지만 제 마음은 언제나 네카야 공주님과 함께 있어서, 밤이면 느껴지는 괴로움이 낮의 즐거움을 훨씬 압도했지요. 저에게 모든 걱정을 맡겨버린 하녀들은 내가 예의 있게 대우받는 것을 안 순간부터 애석해하거나 슬퍼하지 않고 우리의 고달픔을 덜 수 있는 순간 순간의 일에 의탁했고요. 저도 그들의 기쁨에 흡족해하고 그들의 신뢰에서 생기를 얻곤 했지요. 아랍인이 단지 재물을 모으기 위하여 그 나라를 탐사하고 다

151

닌다는 것을 알게 된 이후로는 제 마음의 공포가 많이 가시게 됐고요. 물욕이란 누구나가 지닌 다루기 쉬운 약점이지요. 지적인 마음의 병은 성격에 따라 다른 것이어서, 한 사람의 자존심을 달래주는 것은 다른 사람의 자존심을 상하게 하지만, 탐욕 있는 이의 호감을 사는 데에는 손쉬운 길이 있는데 그들에게 돈을 가져다주면 어느 것도 거절하는 법이 없지요.

마침내 추장의 처소에 닿았습니다. 그곳은 나일강의 한 섬에 돌로 지어진 튼튼한 커다란 집이었습니다. 바로 적도 밑에 위치해 있단 말을 들었습니다. 아랍인이 '부인, 여행 후인만큼 이곳에서 수주일 휴식을 취하도록 하시지요. 자신을 주인으로 여겨도 좋습니다. 내 직업은 전쟁인 만큼, 이처럼 외딴 곳에 거처를 정했지요. 이곳에서는 예측되지 않고서 출정할 수 있고, 추격 당하지 않고 퇴각할 수 있는 곳이지요. 이제 부인께선 신변이 보호된 상태에서 쉬실 수 있습니다. 여기에는 즐거운 일이 드물지만 위험도 또한 없습니다'라고 말했지요. 그리고는 나를 인도하여 내실內室로 가서 호화로운 침상에 앉히고, 머리가 땅에 닿도록 절을 하더군요. 나를 적수로 여긴 그의 여인들은 악의에 찬 눈초리로 나를 보았으나, 얼마 지나지 않아 제가 몸값으로 억류되어 있는 지체 높은 귀부인이란 것을 듣고선 유순하게 존경을 표시했고 자기네끼리 겨루기 시작했습니다.

조속한 시일 내에 자유의 몸이 되리란 새로운 확답으로 위안을 삼고, 그 장소가 주는 기이함에 의해서 며칠 동안은 답답스러움에서 기분 전환을 할 수가 있었지요. 건물에 솟아있는 탑에서는 먼 지역까지 내려다 보였는데, 꾸불꾸불 흐르는 시내를 볼 수 있는 곳이었어요. 낮에는 태양의 경로가 바뀜에 따라, 찬란한 전망을 보고 이곳 저곳에 다니며 전에 본적이 없는 여러 가지를 보았습니다. 악어와 하마가 사람이 살지 않는 지역

152

에서 서식했고, 그것들을 보노라면 비록 나를 해칠 수 없단 것을 잘 알면 서도 소름이 끼칠 지경이었지요. 얼마동안은 임락이 내게 들려준 대로 유 럽의 여행객들이 나일강에 갔다 넣었다는 인어와 반인반어半人半魚의 트라이튼을 볼 수 있었으면 했으나, 그런 것이 나타나지 않아서 그들에게 물어보았더니, 그 아랍인은 속기 쉬운 내 어리석음을 놀려대더군요.

밤이 되면 아랍인은 천체 운행을 관찰하기 위해 떨어져 있는 탑으로 저를 데리고 가서 별들의 이름과 항로를 가르쳐 주었지요. 저는 이 공부에 별로 마음이 쏠리지 않았으나, 선생의 마음을 즐겁게 해주기 위해 관심을 나타내 주는 것이 필요했지요. 그는 자기의 지식을 소중히 여겼지요. 얼마 후에 저는 항상 똑같은 대상들 사이에서 보내야만 하는 시간의 단조로움을 달래기 위해 몰두해야 할 일이 필요한 것을 알았지요. 저는 저녁 때 싫증이 나서 고개를 돌렸던 그런 것을 아침에 또 대하게 되는 일에 싫증이 났지요. 그래서 마침내 아무것도 하지 않느니 보단 별들을 관찰하겠단 생각이 들었어요. 그래도 저의 생각을 가다듬기란 어려웠고, 다른 사람들이 제가 하늘을 보면서 명상한다고 상상할 때에 저는 네카야 공주님에 대해서 늘 생각했지요. 아랍인은 곧 또 원정을 떠났고, 저의 유일한 낙이란 우리가 잡혀오게 된 사건과 우리가 포로생활이 끝나게 될 때 느낄 행복감에 대해서 하녀들과 얘기를 나누는 일이었습니다."

공주가 말했다. "아랍인의 요새에 부인들이 있었는데, 왜 그들을 친구로 삼아서 이야기도 나누며 즐기고 그들이 하는 오락도 함께 하지를 않았느냐? 그들이 일어나 오락을 찾을 수 있는 그런 곳에서, 왜 너만 유독 부질없는 우울에 빠져 마음을 좀먹게 했느냐? 왜 그들은 평생을 보내도록 선고된 그런 상황에서 몇 개월 동안을 견딜 수가 없었단 말이냐?"

153

페쿠아가 대답했다. "그 여인들이 하는 오락이란 어린애들의 놀이 같아서 더 강력한 두뇌작용에 익숙한 사람은 그런 일로 활기차질 수가 없는 것이었습니다. 그들이 재미있다고 하는 것을 다만 감각적인 힘으로 저는 해낼 수가 있었어요. 그리고 저의 지적인 능력은 카이로까지 날아가 있었지요. 새장에서 새가 이 줄에서 저 줄로 옮겨 나는 것처럼 그들은 이 방에서 저 방으로 뛰어다녔지요. 그들은 양들이 초원에서 뛰어 노는 것처럼 단지 동작만을 위해 춤을 추었어요. 가끔은 한 사람이 다친 시늉을 하면 나머지는 놀랐고, 하나가 몸을 숨기면 다른 이들이 찾아낼 수 있도록 했지요. 그들의 소일거리 중에는 강물에 떠있는 별빛의 진로를 지켜보는 것이든지, 아니면 구름이 하늘에 떠서 만들어 내는 여러 모양을 지켜보는 것이었어요.

그들의 일이란 바늘로 자수를 하는 일인데 저와 하녀들이 가끔 도와주었어요. 그러나 마음이 쉽게 손가락에서 이탈했고, 네카야 공주님이 안 계신데 포로가 된 몸으로 비단 꽃을 수놓는 것으로 위로를 얻을 수 있으리라 생각진 않으실 겁니다.

또한 그들과 하는 대화에서 대단한 만족감이 있을 수도 없지요. 그들이 무슨 얘기를 할 수 있으리라 기대하겠어요? 그들은 견문이 없는데, 어린 시절부터 그처럼 좁은 곳에서 살아왔기 때문이지요. 그들이 보지 못한 것에 대해선 그들은 지식이 없지요. 책을 읽을 수 없기 때문이지요. 그들 눈에 보이는 몇 가지 것들에 대해서 말고는 아무 생각도 품을 수가 없고, 그들의 옷이나 음식에 대해서 말고는 이름들조차 없는 거지요. 내가 더 우수한 자격을 지녔는지라 그들의 다툼을 마무리지어 달라는 부탁을 자주 받아서 할 수 있는 만큼 공정하게 판결했지요. 만약 그들이 서로 서로에게 하는 불평이 재미있는 것이었다면 긴 얘기를 들어서 자주 시간을 보낼 수도 있었겠지만, 그들의 적의가 생겨난 동기가 대수롭지 않은 것이어서 나는 얘기를 듣다가 중간에 중단시켰지요."

래설러스가 말했다. "그대 말대로 평범한 학식 이상의 학식이 있다는 그 아랍인이 단지 그런 여자들만이 들끓는 처첩妻妾의 궁에서 어찌 기쁨을 느낄 수 있었나요? 그 여자들이 대단히 아름다웠나요?"

페쿠아가 말했다. "그들이 무감동하고 미천한 아름다움을 지니지 못한 건 아니옵니다. 다만 명랑함이나 고매함은 수반하지 않았고, 사고력이나 미덕이 보여주는 위엄도 수반하지는 않았습니다. 그러나 아랍인과 같은 남자에게 있어서 그런 아름다움이란 되는 대로 꺾었다가 생각 없이 버리는 그런 꽃과 같은 것이었어요. 그들 사이에서 어떤 기쁨을 발견하든 간에 그것은 우정이나 교우에서 나오는 기쁨은 아니었지요. 그들이 그의 주위에서 놀 때에 그는 무관심한 우월감으로 그들을 바라보았고, 그들이 그의 관심을 얻으려 서로 다툴 때 그는 역겹다는 듯이 외면했지요. 그들은 배운 것이 없는지라 그들의 이야기는 생활의 단조로움에서 아무것도 얻을 수가 없었고, 그들에겐 아무런 선택의 여지가 없는지라 그들의 애정이나 애정의 표시라 할 수 있는 것이 그에게서 자존심도 감사함도 자아내지 못했습니다. 그는 자기 외에 다른 어떤 남자도 보지 못하는 한 여자의 미소에 의해서 자기존중의 감정이 솟아나지도 않았고, 또 그가 진실성을 알아차릴 수 없는 그런 표정, 즉 자기를 기쁘게 하기 위해서라기보다 연적을 괴롭혀주기 위해 억지로 표정을 짓는 여인에게서 감사함을 느낄 수도 없었지요. 사랑이라면서 그가 베풀고 여인들이 받았던 것은 단지 남아도는 시간을 되는 대로 분배해주는 거였고, 그런 사랑은 남자가 경멸하는

155

상대에게 베푸는 그런 것이어서 희망이나 두려움도 없고 기쁨이나 슬픔도 없는 그런 것이었지요."

임락이 말했다. "이처럼 쉽게 풀려났으니, 부인께서 행복하다 여길만한 충분한 이유가 다 있소 지식에 굶주려 지적인 기아의 상태에 빠져있는 정신이 페쿠아의 대화와 같은 성찬을 놓치려 할 턱이 있겠소?"

페쿠아가 대답했다. "얼마동안은 미정인 상태로 있었다고 믿고 싶습니다. 왜냐하면 그의 약속에도 불구하고, 내가 카이로에 사자를 파견하라고 제의를 하면 그는 지연하기 위해 변명을 하더군요 내가 그의 집에 붙잡혀 있는 동안 여러 차례 이웃나라로 그는 원정을 갔었지요 만약 그의 약탈물이 바라는 만큼 만족되었더라면 나를 풀어주지 않으려 했을 수도 있지요 언제나 돌아와선 예절바르게 처신했고, 모험담을 들려줬고, 내가 하는 얘기를 듣기 즐겼고, 별에 대한 내 지식을 발전시키려 애썼습니다. 내 편지를 보내달라고 졸랐더니 자신의 명예와 진실성을 공언하면서 나를 달랬습니다. 그리고 더 이상 내 청을 거절할 수 없게 되자, 그는 군사를 움직여 출정했고 자기가 부재시에는 내가 다스리도록 맡겨 두더군요 나는 이 같은 고의적인 지연에 대단히 괴로웠고 가끔은 내가 잊혀질까봐, 당신들이 카이로를 떠났을까봐, 내 최후를 나일강의 한 섬에서 마쳐야 할까봐 두려웠습니다.

나는 드디어 희망을 잃고 절망에 빠졌고, 내가 그를 즐겁게 해줄 생각이 전혀 없다는 것을 알고 얼마동안은 그가 하녀들하고 더 자주 얘기를 하더군요 하녀들이나 또는 나에게 그가 사랑에 빠지게 되는 것이 똑같이 치명적일 것 같아, 나는 자라나는 우정을 바람직하게 여기지도 않았지요 내 걱정은 오래가지 않았어요 왜냐하면 어느 정도 내가 유쾌한 마음을

되찾으니 그는 내게로 돌아왔고요 그래서 제가 전에 불안해했던 것을 우스꽝스럽게 여기지 않을 수가 없었어요

그는 아직도 내 몸값을 받으러 사람 보내기를 미루고 있었어요 아마도 당신의 대리인이 그를 찾아오지 않았더라면, 결코 결행하지 않았을 수도 있지요 그는 자기가 가지러 가지 않은 금화가 제공되자 그것을 퇴짜놓지는 않았지요 내적 갈등이란 고통에서 해방된 사람처럼 그는 서둘러 이리로 오기 위해 여행 준비를 했어요 나는 집안에서 동료들과 작별을 했는데 그들은 차가운 무관심으로 나를 떠나보냈습니다."

네카야는 총애하는 시녀의 얘기를 듣고는 일어서더니 포옹을 해주었고, 래설러스가 금화 일백 냥을 그 여자에게 주니, 그녀는 그것을 약속했던 오십 냥 대신 아랍인에게 선사하는 것이었다.

제 40 장
한 학자에 관한 이야기

그들은 카이로로 돌아 왔고, 다 함께 모이게 되어 기쁜 나머지 어느 누구도 별로 집 밖으로 나가지 않았다. 왕자는 배우는데 열성을 보이기 시작해서, 어느 날 임락에게 자기가 학문에 전념하여 여생을 공부하면서 정적에 묻혀서 보내겠다고 선언했다.

임락이 대답했다. "최종 선택을 하기 전에 위험을 검토해 보아야 하며, 같은 부류와 벗삼아서 나이 든 사람들과 얘기도 나누어보는 것이 옳을 줄 압니다. 나는 조금 전 세상에서 가장 유식한 천문학자 한 사람의 관측소에서 왔는데, 그는 사십 년 동안 천체의 운동과 현상을 지칠 줄 모르고 관찰해 왔고, 혼신을 다하여 끝없는 계산에 몰두했지요. 한 달에 한 번씩 친구들을 들어오게 하여 자기의 추론을 들려주고 자기의 발견을 얘기해주는 것이지요. 나는 그의 관심을 끌만한 지식인으로 소개됐지요. 다양한 사고와 유창한 담화를 할 수 있는 사람은, 생각이 항상 한 가지 점에만 오래 머물러 다른 것들에 대한 이미지들이 사라져 간다는 것을 알게 되는 사람들에게서 환영을 받지요. 나는 내 얘기를 들려주어 그를 흡족하게 해주었고, 내 여행담을 듣고 그는 미소지었으며, 기꺼이 성좌를 잊어버린 채 아래 세상으로 잠시 내려왔습니다.

다음날 한가하여 다시 방문했다가 다행히 그를 또 즐겁게 해 줄 수 있었지요. 그 시간부터 그는 자기의 엄격한 규칙을 완화하고 언제든 내가 택한 때 들어와도 좋다고 허락했습니다. 그는 항상 일에 바빴고 또 항상 일에서 벗어나는 것이 기쁨이 되는 것을 나는 알았습니다. 각자가 상대가 알고자 하는 것을 많이 알고 있었기 때문에 우리는 대단히 즐겁게 자신들의 견해를 교환했지요. 나는 매일 그의 신임을 더욱 더 얻는 것을 알게 되었고, 그의 정신의 심오함에 새로운 경의의 원천을 찾고는 했지요. 그의 학식은 방대했고, 그의 기억력은 포용력과 유지력이 있었고, 그의 얘기는 조리 있고 표정은 밝았습니다.

그의 인격과 자비로움 또한 그의 학식에 어울리는 것이었습니다. 그의 심오한 연구나 가장 소중한 학문도 자신의 조언이나 돈을 써서 선을 행할 기회가 있으면 서슴지 않고 중단하는 것이었지요. 그가 아무리 분주한 순간이라도 그의 도움을 원하는 이는 누구나 자기의 밀폐된 처소까지도 허용되었지요. 그는 이렇게 말했어요. '왜냐하면 내가 한가로움이나 쾌락을 도외시하더라도 나는 결코 자비를 베푸는 일에 내 문을 잠그지는 않을 겁니다. 인간에게는 하늘에 관한 연구가 허락됐지만 선의 실행은 명령된 것입니다.'"

공주가 말했다. "확실히 그 사람은 행복한 사람이네요"

임락이 말했다. "나는 점점 더 자주 그를 찾아가게 되고, 매번 점점 더 그와 나누는 대화에 매료되었습니다. 그는 거만하지 않으면서 숭고했고, 예절바르면서도 허례스럽지 않고, 이야기하기 좋아하면서도 허세부리지 않는 그런 사람이지요. 높으신 공주님, 저도 처음에는 같은 생각이었어요 그가 인간 중 가장 행복한 사람이구나 생각하며, 자주 그가 누리는 축복을 경하했지요. 그는 자신의 입장을 칭찬하는 것말고는 어느 것도 무관심하게 듣는 것 같지 않았어요. 자신의 얘기에 대해선 애매한 답을 하고, 대화를 다른 데로 돌리고는 하더군요.

자신이 저절로 기뻐한다든지, 남을 기쁘게 해주기 위해서 애쓰는 가운데 나는 어떤 쓰라린 감정이 그의 마음을 억누르고 있다고 짐작하게 되었지요. 그는 자주 진지한 모습을 하고 태양을 올려다보고 대화중에 목소리를 떨구곤 했지요. 그는 우리 두 사람만이 있게 될 때, 자기가 아직도 참아야 한다고 생각하는 것을 발설하고 싶은 사람의 표정을 가끔 짓고 말없이 나를 응시하곤 했어요. 그는 또 자주 대단히 급박한 지시를 하여 나를 불렀고, 그래서 내가 그에게 가면 별로 특별히 할 얘기도 없는 것이었지요. 또 그를 떠날 때 가끔은 다시 나를 불러 세우고 얼마동안 머뭇거리다가 나를 보내고는 했지요."

제 41 장
천문학자가 불안의 원인을 찾아내다

"마침내 그의 비밀이 과묵을 깨뜨리고 나온 순간이 왔지요. 우리는 지난 밤 그의 집에 있는 탑에서 자리를 함께 하고 있었습니다. 그리고 목성 주위에 위성 하나가 출현하는 것을 지켜보고 있었습니다. 갑작스런 폭풍이 하늘을 가려서 우리의 관찰을 좌절시켰지요. 우리는 어둠 속에 얼마를 앉아 있었고, 그는 나에게 말을 걸어 다음과 같은 얘기를 했습니다. '임락이여, 난 그대의 우정을 내 생애에서 가장 소중한 축복으로 오래 전부터 여겨 왔소. 지식이 결여된 인격이란 연약하고 쓸모 없는 거요. 또 인격이 없는 지식이란 위험하고 두려운 것이지요. 나는 그대에게 믿음, 자비, 경험, 용기에 필요한 모든 자질을 발견했소. 나는 오래 전부터 한 가지 임무를 수행해 왔는데, 그것을 곧 자연의 부름에 따라 남겨두어야 하오. 나는

노쇠와 고통의 시간이 올 때, 그것을 그대에게 물려주게 되면 기쁘겠소'

그의 그 같은 선언에 나는 대단히 황송했고, 그의 행복에 기여하는 것이면 무엇이든 내게도 더하게 될 것이라고 확언했습니다. '임락이여, 그대가 그리 쉽게 믿지 않을 얘기를 들어보시오 나는 다섯 해 동안 기후의 조절, 또 계절의 변화를 다스려 왔소 태양은 나의 지시에 따라 운행했고, 내 지시에 따라 적도에서 적도로 통과했고, 구름도 내 명령에 따라 비를 쏟아 부었으며, 나일강은 내 명령에 따라 범람했고, 천랑성天狼星의 맹위를 억제했고, 거해궁巨蟹宮의 작열함을 달래기도 했지요 모든 자연의 힘 중에서 바람만이 나의 권위를 거부해서, 내가 금지시키거나 다스리지 못하는 춘·추분의 폭풍에 의해 무수한 사람이 죽었소 나는 이 거대한 임무를 대단히 정의롭게 수행해와서 지구상의 모든 나라들에게 비와 태양의 양을 공평히 분배해 왔소 내가 만약 특정한 지역에 구름을 제한했다면, 적도의 어느 한 쪽에 태양을 국한시켰더라면, 지구의 반이나 되는 지역의 재난은 어떠했겠습니까?'"

제 42 장
천문학자의 의견이 설명되고 정당화되다

"내가 생각하기에 그는 밤의 어둠침침한 빛을 통하여 내게서 놀라움과 의심의 빛을 발견했던 것 같았지요 왜냐하면 그는 다음과 같이 말을 이었던 것이지요:

'선뜻 믿어주지 않는다고 해서 기분 상해하지 않습니다. 왜냐하면 나는 인간 중에선 아마도 최초로 이런 임무가 맡겨진 사람이기 때문이지요 난 또 이런 탁월함을 상으로 보아야 할 지 벌로 여겨야 할 지 알 수 없었어요 그런 힘을 소유한 이후로 전보다 훨씬 덜 행복했고, 그리고 선의에 대한 의식말고는 그 무엇도 이 양도할 수 없는 밤샘의 지루함을 지탱할 수 없게 했을 겁니다.'

내가 물었습니다. '얼마나 오랫동안 이 거대한 임무가 선생님의 수중

에 있었나요?'

그가 말했습니다. '한 십 년 전에 내가 하루도 빠짐없이 하늘의 변화
를 관측했는데, 무슨 생각이 들었는가 하면 내가 계절을 다스릴 힘이 있
다면, 지구에 사는 인류에게 더 풍요로움을 줄 수 있겠단 생각이 들었지
요. 이 같은 상념이 내 마음속에 고정되자, 나는 밤낮을 가리지 않고 상상
력의 영역에 잠겨서, 이 나라 저 나라에 많은 수확을 가져오는 소나기를
내렸고, 매번 비를 내린 후에는 적당한 양의 햇빛으로 후원을 했고요. 나
는 다만 좋은 일을 하겠다는 생각만을 품고 있었고 내가 그런 위력을 가
지게 되리라고는 상상도 못했지요.

어느 날 열기로 시들어가는 들판을 바라보고 있는데, 마음 속에 갑작
스런 소망이 느껴지더군요. 남부 산악지방에 비를 보내서 나일강이 홍수
로 불어났으면 하는 기원이었지요. 내 상상력이 스치는 가운데 나는 비가
내리라고 명령했는데, 내가 명령을 내린 시간과 홍수가 진 시간을 비교해
보고 나서 구름이 내 말에 귀 기울였음을 알 수 있었지요.'

나는 말했지요. '다른 어떤 원인이 이 우연의 일치를 초래했었을 수도
있는 것 아닌가요? 나일강은 똑같은 날에 언제나 불어나는 것은 아니지
요.'

그는 성급히 말했습니다. '그런 반대의견이 내게 들리지 않았으리라고
생각하지 마시오. 나는 오랫동안 내 확신이 틀리지 않았나 따져 보았습니
다. 그리고 고집스럽게 사실에 위배된다는 생각도 해보았고요. 나는 가끔
내가 정신이상이 되지 않았나 의심도 했고요. 그리고 경이로움과 불가능
을, 믿기 어려운 것과 허위를 분간할 수 있는 당신 같은 사람이 아니면 이
런 비밀을 감히 전하지도 못했을 겁니다.'

내가 말했지요. '선생님, 왜 당신이 사실인 것으로 알고, 혹은 안다고 생각하는 것을 믿겨지지 않는 것이라고 합니까?'

그는 말했습니다. '왜냐하면 나는 외형적인 증거로 그것을 밝혀드릴 수가 없기 때문이지요. 나는 논증의 법칙을 너무 잘 압니다. 내 확신이 나처럼 그 위력을 의식하지 못하는 사람에게 영향을 주어야만 한다고 생각하지는 않습니다. 그러므로 나는 논쟁을 하여 신임을 얻을 생각은 없습니다. 내가 이런 힘을 몸소 느끼는 것으로 충분하고, 또 그 힘을 오래 소유했다는 것, 또 매일 그 힘을 구사했단 것으로 충분하지요. 그러나 인생의 삶은 짧은 것이고, 노년의 불구가 점점 더해가니, 해年를 다스리는 사람이 한 줌의 흙으로 돌아갈 시간이 임박했습니다. 후계자를 지명해야 한다는 걱정이 오랫동안 나를 불안케 해왔지요. 내가 알게 되어 친구로 사귀어 온 인물들을 비교하는데 밤낮을 지새웠는데, 아직껏 그대처럼 값진 사람은 발견치 못했지요.'"

제 43 장
천문학자가 임락에게 지시를 남기다

　"'그러니 세상 사람의 안위에 필요한 내가 들려주는 얘기를 주의 깊게 들으시오 수백만의 사람을 돌보고 그들에게 별로 이로움이나 해로움을 끼치지 못하는 한 왕의 임무가 어렵다고 생각된다면, 모든 자연력의 작용과 빛과 열이라는 위대한 선물이 그에게 달려있는 그런 사람의 번뇌는 어떤 것이겠어요! 그러니 주의하여 내 애기를 들으세요

　나는 지구와 태양의 위치를 애써 열심히 연구하였고, 그들의 위치를 변경시킬 수 있도록 수없이 많은 도안을 꾸며 보았지요 나는 가끔 지구의 축을 옆으로 빗기게도 했고, 또 가끔은 태양의 일식을 변화시키기도 했소 그러나 지구에 이익이 돌아올 수 있는 배열을 이루어 내기는 불가능한 것을 알아냈지요 한 지역에 이익이 가게 되면, 우리가 알지 못하는

멀리 떨어져 있는 태양계를 고려해 넣지 않는다 해도, 다른 지역은 상상할 만한 변화에 따라 손해를 입게 됩니다. 그러므로 해年를 다스림에 있어서 새로운 것을 만들어 냄으로 자신의 오만에 탐닉하지 말 것이오 또 모든 사계절을 변화시켜서, 미래에 올 모든 세대들에게 당신의 이름을 날릴 수 있다고 생각해서 기뻐하지도 마시오. 해악을 저질러 기억에 남는 것은 바람직한 명성이 되지 못합니다. 친절이나 이익이 널리 퍼지도록 하는 것이 그대에게는 걸맞은 것이 되지 못할 겁니다. 다른 나라에 내릴 비를 빼앗아 그대의 나라에 내리도록 하지 말 것이오 우리에게는 나일강이면 충분합니다.'"

"나도 내가 그런 위력을 부릴 수 있게 되면, 더 없는 성실함으로 행사하겠다는 약속을 했더니, 그는 내 손을 꽉 쥐고는 물러나도록 했습니다. 그는 말했습니다. '내 마음이 이제는 편히 쉴 수 있겠습니다. 그리고 내가 품고 있는 자비심이 이제는 더 이상 나의 평안을 깨뜨리지도 않을 겁니다. 내가 이제 지혜 있고 덕 있는 사람을 찾았으니, 그에게 기꺼이 태양의 유산을 물려 줄 수가 있겠소'"

왕자는 이 이야기를 대단히 심각한 표정을 짓고 듣고 있었으나, 공주는 미소를 짓고, 페쿠아는 웃음을 참지 못하여 몸을 비틀 지경이었다. 임락이 말했다. "귀부인들이시여, 가장 끔찍한 인간의 재난을 비웃는 것은 결코 관대한 것도 지혜로운 것도 못됩니다. 누구도 이 사람의 지식만큼 도달할 수 있는 이도 드물고, 누구도 이 사람만큼 덕을 실천하기도 어렵습니다. 그러나 모든 이가 이 사람 정도의 재난은 당할 수 있는 거지요 우리들의 현재 상태 중에서 가장 불확실한 것 중 가장 두렵고 경악스러운 것은 이성을 지탱하기가 불확실하다는 점입니다."

공주는 마음을 가다듬었고 시녀는 부끄러워했다. 래설러스는 심히 마음이 감동되어 임락에게 묻기를 그런 정신의 질환이 흔히 있는 것인지 또 어떻게 해서 그런 병에 걸리게 되는지 물었다.

제 44 장
위험한 상상력의 위력

임락이 대답했다. "정신의 병은 피상적인 관찰자들이 보통 생각하는 것보다는 훨씬 자주 있는 것이지요. 우리가 완전히 정확을 기해서 말한다면, 어느 인간의 정신도 옳은 상태에 있지 못합니다. 상상력이 이성을 가끔 지배하지 않는 사람이 없고, 자기 의지력에 의해서 주의를 규제할 수 있고, 생각을 자기의 명령에 따라서 오락가락 하게 할 수 있는 이는 없습니다. 마음 속에서 헛된 잡념이 가끔 횡포를 부려서 온전한 가능성의 한계를 넘어서 희망을 품게 하거나 공포를 느끼게 하지 않는 사람이 없습니다. 이성을 지배하는 모든 환상의 힘은 어느 정도 정신이상이지요. 그러나 우리가 이 힘을 다스리거나 억제하는 한에 있어서는, 그것은 남들의 눈에 띄지 않고 또 정신 기능의 장애라 생각지도 않습니다. 그러나 그것이 다

스릴 수 없을 지경이 되어 말이나 행동에 분명히 영향을 입히는 경우가
아니면 정신이상이라 부를 수가 없는 것이지요

허구의 위력에 탐닉한다든지, 상상력이 날개돋쳐 훨훨 난다든지 하는
경우는 말없이 지나치게 공상에 탐닉하는 이들이 흔히 찾는 위안이지요
혼자 있게 될 때 우리가 항상 분주한 것은 아니지요 사고라는 작업은 오
래 지속되기에는 너무 격렬한 것이며, 탐구의 열기란 가끔 게으름이나 싫
증에 길을 비켜주는 경우가 있지요 자기의 마음을 변화시켜줄 어떤 외적
인 대상이 없는 사람은, 자기 자신의 생각에서 쾌락을 얻어야 하는 만큼,
실제로 자신이 아닌 것을 자기인 것으로 생각해야 합니다. 그건 왜인가
하면 도대체 누가 자기란 현재의 존재를 기쁘게 느끼는 사람이 있겠습니
까? 그래서 그는 무한한 미래 속에서 장황하게 얘기를 늘어놓고 그가 현
재 순간에 가장 바라는 것을 모든 상상력의 여건 하에서 따 모으는 거지
요 그리고 터무니없는 기쁨으로 자신의 욕망을 달래지요 또 자신의 자만
심에 도달할 수도 없는 영역을 부여하구요 그래서 마음 속으로 이런 저
런 광경을 연출하고, 가지가지 쾌락을 형형색색으로 결합시키고, 그래서
자연과 행운이 아무리 관대하다 해도 제공해줄 수 없는 그런 기쁨 속에서
소동을 피웁니다.

어떤 때는 특정한 일련의 생각이 한 가지 관심사에 집중되어서 다른
모든 지적인 만족은 모두 거부해버립니다. 지쳐버린 또는 한가로운 상태
에서 마음은 호감이 가는 생각을 찾아 끊임없이 되돌아가고, 진실의 쓰라
림에 상처 입을 때마다 마음은 맛있는 허위를 포식하게 됩니다. 점차로
환상의 지배가 확고히 되고, 환상은 처음에는 전제적이고 후에는 횡포를
부리지요 그러면 허구가 현실로 작용하기 시작하고, 잘못된 견해가 마음

170

에 고정되어 결국 삶이란 환희나 번민이라는 꿈 속에서 지나갑니다.

왕자님, 이것이 바로 고독의 위험이 초래할 수 있는 한 가지 양상입니다. 은둔자는 고독이란 것이 반드시 선을 더하게 해 주는 것이 아니라 고백했고, 천문학자의 비참한 상태는 고독이 항상 지혜를 닦는데 징조가 좋은 것도 아니란 것을 증명해냈지요."

시녀가 말했다. "저는 이제 애버시니어의 여왕으로 자신을 상상하는 일은 그만 둘래요. 저는 공주께서 제가 자유로이 보내도록 허락한 많은 시간을, 예식을 조정하는 일이나 궁전 일을 통제하는데 보내고는 했지요. 저는 세도 있는 자의 자만심을 제어했고, 가난한 사람의 청원을 들어주기도 했고, 더 복된 모습의 새 궁전을 짓기도 하고, 산꼭대기에 나무를 심어 숲을 만들기도 하고, 왕족이 베푸는 자비에 우쭐해 하기도 했는데, 그 순간 공주께서 막 입장하시게 되고 그런 땐 전 몸 굽혀 예절을 갖추는 것조차 잊은 적이 있지요."

공주가 말했다. "나도 자신이 양치기 노릇 하는 백일몽을 그만 두렵니다. 나는 목가적인 생업에서 누리는 평화와 순결로 내 마음을 달랜 적이 자주 있어요. 그러면 창가에서 바람이 일어 휘파람 소리를 내고, 양들이 메—에 하고 우는 소리도 들려요. 가끔은 가시덤불에 얽힌 양을 풀어주기도 하고, 어떤 때는 지팡이로 이리를 물리쳐 쫓기도 합니다. 나는 시골 처녀들이 입는 것 같은 드레스도 한 벌 있는데요, 상상력을 돕기 위해 그것을 입기도 해요. 부드러운 소리나는 피리도 있지요. 그리고 양떼들이 내 뒤를 졸졸 따라오는 상상을 한답니다."

왕자가 말했다. "나는 그대들의 공상보다 더 위험스런 환상의 기쁨에 빠진다는 걸 고백하지요. 나는 자주 완전한 정부의 가능성을 그려보는 일에 몰두하고는 했지요. 거기선 모든 부정은 억제되고, 악이란 악은 모두 개혁되고, 모든 신하들은 평온과 결백을 유지하지요. 이런 생각은 무수한 개혁을 단행하는 계획을 짜내고, 여러 가지 유익한 규칙과 유익한 칙령을 내리는 생각을 합니다. 이런 것이 나의 한가로운 시간의 유희였고 또 가끔은 과업이었소. 그리고 부왕과 형제들의 죽음을 별로 괴로워하지 않고 공상한 것을 생각하게 될 때 소스라치게 놀라지요."

임락이 말했다. "그런 것들이 바로 가공적인 계획의 소산이지요. 우리가 처음에 그런 걸 꿈꿀 때는 어리석게 여겨지지요. 그러나 점차로 그런 것에 익숙하게 되고 시간이 지나면 어리석음을 느끼는 것조차 사라집니다."

제 45 장
그들이 한 노인과 대화하다

저녁이 늦어져서 그들은 일어나서 집으로 향했다. 그들이 나일강 둑을 따라 걷고 있을 때, 강물 위에 찰랑이는 달빛이 아름다웠다. 조금 떨어진 곳에 한 노인이 보였는데, 왕자가 현인들의 집회장에서 자주 그의 강론을 듣곤 했던 바로 그 사람이었다. 왕자가 말했다. "저기 저 분은 세월이 그의 격정을 다스렸으나, 자기의 이성을 어둡게 하지 않은 분이오 그분에게 자신의 상태에 대한 생각이 어떤 것인지 여쭈어보아 오늘 밤 우리의 탐색을 마감합시다. 그래서 젊음 시절만 괴로움으로 고생을 해야 하는 것인지, 또 만년에는 더 나은 희망이 남겨져 있는지를 알아봅시다."

그 현인이 다가와 그들에게 인사를 했다. 그들은 노인더러 함께 산책을 하자고 청하였다. 그리고는 예기치 않게 만난 친지로서 얼마동안 객담을 나누었다. 노인은 유쾌했고 말수가 많았다. 그래서 그와 함께 가는 길이 짧은 것으로 여겨졌다. 노인은 자신이 무시당하지 않는 것을 알고 흐뭇해하며, 그들의 집까지 동행했고 왕자의 청으로 함께 안으로 들어갔다. 왕자는 그를 상석에 자리 잡게 하고 그 앞에 술과 설탕에 절인 과일을 내놓았다.

공주가 말했다. "선생님, 당신 같은 식자에게 저녁나절에 하는 산책이란 무지하고 젊은 사람은 상상도 할 수 없을 정도로 기쁨이 되시겠지요. 선생님은 보시는 모든 것의 특징과 원인을 아시고 강물이 흐르는 원리와 항성들이 순환하는 주기도 아시지요. 만물이 선생님께 명상거리를 제공하고 또 선생님의 높은 학식에 대한 자의식을 새롭게 해주지 않겠어요."

노인이 대답했다. "부인, 즐겁고 원기 왕성한 사람들은 유람여행에서 기쁨을 기대하게 됩니다. 노년은 안식을 얻으면 충분한 거요. 나는 세상의 진기함을 잃었소. 주위를 둘러보면 행복한 시절에 본 것들이 기억나게 되오. 나는 나무에 기대어 쉽니다. 그러면 옛날 생각이 납니다. 한 때 그 그늘 아래에서 나일강이 매년 범람하는 것에 대해 친구와 논쟁을 폈지요. 그 친구는 이제 무덤에 잠들어 말이 없지요. 눈을 위로 치켜 떠 변하는 달을 응시하노라면 괴로움에 인생 무상함을 생각하지요. 난 이제 더 이상 유형有形의 진실에 기쁨을 느끼지 않소. 내가 곧 남겨두고 떠나게 될 그런 것들과 무슨 상관이 있겠소?"

임락이 말했다. "당신 자신의 명예롭고 유익한 인생을 회고하면서 적어도 자신의 기분을 새롭게 할 수 있지 않소. 그리고 모두가 입을 모아 하는 그대에 대한 칭송을 누릴 수 있는 것이지요."

현인이 한숨지으며 말했다. "칭찬이란 나이 먹은 자에게 한낱 공허한 소리에 불과하오. 나는 아들의 명성에 기뻐할 어머니도 없고, 남편의 명예를 함께 나눌 아내도 없소. 친구들보다도 적들보다도 오래 살았소. 이제 어느 것도 중요하지 않소. 왜냐하면 관심을 내 자신 밖으로까지 펼 수가 없기 때문이오. 젊음은 박수갈채를 받으면 기뻐하는데, 그것이 미래에 닥쳐 올 유익함의 전조로 여겨지고 또 인생의 전망이 멀리까지 펼쳐져 있기 때문이오. 그러나 이제 노년으로 쇠약해져 가는 지금 내게는 사람들의 악의에 대해 두려워할 것도 별로 없고, 남들의 애정이나 존경에서 희망을 품을 일은 더 더욱 없지요. 아직도 뭔가 그들이 빼앗아갈 것은 있겠고, 그들이 내게 줄 것은 아무것도 없습니다. 부도 이제는 소용이 없는 것이고 높은 지위도 고통일 따름입니다. 지나간 인생을 회고하면 소홀했던 많은 선의 기회도 떠오르고, 사소한 일에 많은 세월을 허비했고, 게으름과 공허함에는 더 많은 세월이 허송되었던 것이오. 많은 거대한 계획들이 시도되지 않은 채 남아있고, 또 많은 거대한 시도가 미완성으로 끝났소. 큰 죄는 없어 마음이 무겁지는 않으니 자신을 다스려 평정을 찾지요. 희망이나 걱정에서 벗어나 생각을 허허롭게 하기에 힘쓰고, 이성은 그것이 헛된 것을 알면서도 희망과 걱정이 옛날처럼 마음을 사로잡으려 하오. 단지 차분한 겸양으로 자연이 오래 지연시킬 수 없는 시간을 고대하고, 이 세상에서 찾을 수 없었던 행복과, 이 세상에서 얻을 수 없었던 덕망을 더 좋은 저 세상에서나 얻을까 하오."

그가 일어나 가버리니 듣던 이들은 장수長壽에 대한 기대로 마음이 부풀지 않은 채 남아있게 되었다. 왕자는 다음 같이 얘기하여 자신을 달랬다. 저 분의 얘기를 듣고 실망하는 것은 사리에 어긋난다. 왜냐하면 노년은 행복의 시절로 여겨지는 일이 없었는데, 노쇠하여 유약한데도 편안할 수 있는 것이라면 원기 왕성한 젊은 시절이 행복할 수 있을 법한 일이다. 저녁나절이 평온한 것이라면, 인생의 한낮은 밝을 수 있을 것이다.

공주는 의심을 품기를, 노년이란 불평불만에 가득하고 악의에 차 있어서, 새로이 세상에 태어난 이들의 기대를 억누르기를 즐기는 것이 아닌가 했다. 공주는 재산을 가진 이가 시기에 찬 눈초리로 상속자를 바라보는 것을 목격했고, 기쁨을 자기네에게만 국한시키지 않게 되면 그 기쁨을 더 이상 누리지 않는 많은 사람을 만났던 것이다.

페쿠아는 노인이 보기보다 더 나이가 든 사람이라 추측하고, 다만 그의 불평을 우울성 발작증상에 기인한 것으로 돌리려 했고, 아니면 그가 불운해서 불만에 찬 것으로 여겼다. 그 여자는 말하기를, "왜냐하면 우리가 처해있는 상황을 인생의 조건이라고 부르는 것보다 어떤 것도 더 일반적일 수 없기 때문이지요"라고 했다.

임락은 그들이 의기소침해 하는 것이 바람직하지 않다 생각하였고, 그들이 그리 손쉽게 자위하는 것에 대해 빙긋이 미소지었다. 그리고 자기도 그 나이에 순수한 번영을 확신했고, 그들과 똑같이 위안의 방편을 찾는 데에 상상력이 풍부했던 것을 상기했다. 그래서 시간이란 것이 머지 않은 장래에 그들에게 인상 지워줄 환영받지 못할 지식을 그들에게 강요할 생각을 삼가했다. 공주와 시녀는 물러나면서, 천문학자의 광기狂氣가 그들의 마음에 매달리고 있는지라 임락이 그의 임무를 떠맡아서 다음날 아침에 해 뜨는 것을 늦추어 주었으면 한다고 했다.

제 46 장

공주와 페쿠아가 천문학자를 방문하다

공주와 페쿠아는 임락이 만난 천문학자에 대해서 자기네끼리 이야기를 하는데, 그의 사람 됨됨이 한편으로는 호감이 가고, 한편으로는 기이하다 여겨져서, 더 가까이 가서 알아보지 않고서는 직성이 풀릴 것 같지 않았다. 그래서 임락에게 부탁하여 그들이 함께 만날 수 있는 수단을 강구해 달라고 청했다.

이 일은 다소 어려움이 있었다. 비록 자기들 나라의 예절을 따르는 많은 유럽인들이 있고, 또한 유럽식의 자유를 누리면서 사는 세계도처에서 온 많은 사람들이 이 도시에 살고 있기는 했지만, 이 철학자는 여성 방문객의 방문을 받아본 적이 없기 때문이다. 하지만 부인들이 말을 들으려하지 않고 자기들의 계획을 실현하기 위해 몇 가지 묘안을 제시했다. 그 현인이 만나줄 수 있는, 대단한 절망에 빠진 낯선 사람으로 그들을 소개해 달라고 제의했으나, 얼마간 숙의해 본 결과 이 묘안에 의해선 교제가 형성될 수 없을 것으로 판명됐다. 왜냐하면 그들이 나누는 대화가 별로 길 수 없고, 자주 만나도록 성가시게 조를 수 없는 일이기 때문이었다. 래설러스가 말했다. "그것은 맞는 말입니다. 그러나 사실은 당신들의 처지를 거짓으로 꾸며대는데 대해선 더 그럴만한 반대 이유가 있습니다. 크고 작은 일 어느 경우를 막론하고, 한 사람의 미덕을 그를 속이기 위한 수단으로 삼는다는 것은 이 거대한 인간 본성의 공화국에서 반란을 일으키는 것이라 나는 항상 생각해 왔습니다. 모든 협잡행위는 신임을 약화시키고 자비심에 찬물을 끼어 없는 것이지요. 그 현인이 당신들이 가장했단 것을 발견하게 되면, 훌륭한 재능을 가진 사람이 자신보다 미천한 이해력을 소유한 사람에 의해서 속았다는 것을 알고 당연히 느끼는 그런 원한을 품을 것입니다. 그래서 아마 그 후부터는 그가 전혀 떨쳐낼 수 없는 불신으로 인하여 조언의 목소릴 그칠 거고 자비의 손을 접을 거요. 그러면 어디에서 인류에 대한 그의 선행을 회복할 수 있는 힘을 되찾고, 어디에서 그 자신에 대한 그의 평안을 찾겠소?"

이 말에 누구도 대답할 엄두를 내지 못했고 임락은 그들의 호기심이 사라져 가기를 기대할 뿐이었다. 그러나 다음 날 페쿠아는 자기가 천문학자를 방문할 수 있는 정직한 핑계를 찾아냈다고 말했다. 자기가 아랍인과 함께 시작했던 공부를 그 밑에서 계속할 수 있도록 허락해 달라고 간청할 것과, 동료학생으로든지 아니면 여자 혼자 가는 것이 상스럽지 못하니까 공주가 동행할 수 있다는 것이었다. 임락이 말했다. "내가 염려하는 바는, 그가 당신과 함께 하는 것을 싫증내는 것입니다. 학문을 크게 쌓은 사람은 자기네 분야의 초보적인 것을 반복하기를 꺼리는 것이고, 그것을 전달하게 될 때 그의 지식을 함축해서 다른 것과 연관을 시키든지, 숙고하여 결합하기 마련인데 당신이 그것을 잘 이해하는 청중이 될지 하는 것은 자신이 없는 바요" 페쿠아가 말했다. "그 점은 제가 염려할 바예요 단지 부탁드리는 것은 거기에 데려다 달라는 것뿐이옵니다. 아마 저의 지식은 당신이 상상하는 것 이상일거고, 그의 의견에 언제든지 동의함으로써 실제보다 더 많이 아는 것처럼 보이게 할 수 있어요"

이러한 결정을 쫓아서, 임락은 지식의 탐구를 위해 여행을 하는 한 외국 부인이 그의 명성을 듣고 그의 학생이 되기를 희망한다고 천문학자에게 얘기해 주었다. 이 흔치 않은 제의는 그에게 놀라움과 호기심을 불러일으켰고 잠시 동안 숙고해 본 후 그는 그 부인을 받아들이기로 승낙했다. 그리고 다음 날까지 초조하게 기다렸다.

부인들은 훌륭하게 갖추어 입었고, 임락은 그들을 천문학자에게 안내했다. 천문학자는 화려한 모습을 한 사람들이 존경심을 품고서 접근하여 오는데 기쁨을 감추지 못했다. 처음 예의를 교환할 때는 조심스럽고 수줍어하였지만, 이야기가 본 궤도에 이르자 위엄을 갖추고 임락이 말한 대로의 성품을 그는 보여주었다. 페쿠아에게 어떻게 해서 천문학을 좋아하게 됐나 질문했을 때, 피라미드에서 있었던 모험담과 아랍인의 섬에서 보낸 시간에 관한 내력을 듣게 됐다. 페쿠아가 유창하고 우아하게 얘기를 들려준 나머지, 그 여자와의 대화가 그의 마음을 사로잡았다. 그리고서 그들의 얘기가 천문학에 미치게 되었다. 페쿠아는 자신이 알고 있는 지식을 과시했고, 그는 페쿠아가 경이로운 재능을 지닌 사람으로 여겨 그처럼 행복하게 시작한 학문을 중단하지 말라고 부탁했다.

179

그들은 계속해서 찾아왔고 매번 전보다 더 환대를 받게 되었다. 현인은 더 오래 머물 수 있도록 그들을 즐겁게 해주려 애썼는데, 그들이 함께 있음으로 자기의 생각이 더 분명해지는 것을 알았기 때문이었다. 그들을 애써 접대하노라면 구름처럼 쌓인 근심걱정이 서서히 사라졌고, 그들이 떠나고 난 뒤 계절을 통제하는 일에 임하게 되면 다시 슬퍼했다.

공주와 시녀는 수개월 동안 천문학자의 입술을 지켜보았으나, 그가 초자연적인 임무에 대한 소신을 지속하는지 아닌지를 판단할 수 있는 한마디 말도 포착할 수가 없었다. 그들은 그가 공개적인 선언을 하도록 자주 유도했으나, 그는 그들의 공격을 용이하게 피했고, 어느 쪽에서 그에게 압력을 가해도 그는 새로운 화제로 옮겨가서 그들을 피했다.

그들이 친근해지면서 그들은 임락의 거처로 그를 초대하여 각별스러운 존경으로 대하였다. 그는 점차로 현세의 쾌락을 맛보아 기쁨을 보이기 시작했다. 초대를 받으면 일찍 오고 밤늦어서야 떠났고, 열성을 보이고 유순하게 처신하여 그들의 마음에 들도록 애쓰고, 새로운 학문을 소개하여 그들의 호기심을 자극하여 그들이 자기에게 조력을 구하게 하였다. 그리고 그들이 기쁨이나 탐문의 답사를 떠나게 되면 함께 할 수 있도록 청했다.

오랜 세월에 걸쳐 그의 성실성과 지혜에 대해 경험해 본 결과, 왕자와 공주는 그를 믿어도 위험이 없으리라 여겼다. 또한 그가 받게 되는 예우에서 잘못된 희망을 그가 품을까봐 그들의 여행의 동기와 그들이 처한 여건을 그에게 알려주고, 삶의 선택에 관한 그의 고견을 들려달라고 왕자와 공주는 청했다.

현인이 대답했다. "이 세상이 그대들 앞에 펼쳐 놓은 여러 가지 여건

중에서 그대들이 어떤 것에 마음을 쏟아야 할지는 지시해줄 수가 없소 나는 다만 내가 잘못 선택했단 것을 말하여 줄 수 있소 나는 공부를 하느라 세상의 경험을 쌓지 못하고 세월을 살아왔소 대개의 경우 인류에게는 요원한 차원에서나 유익하다 할 수 있는 학문을 연구하는데 보냈소 나는 인생이 지니는 흔히 있는 모든 위안을 바쳐서 지식을 습득했지만, 나는 여성과 교제하여 얻을 수 있는 애정을 누릴 기회도 놓쳤고, 다정한 가정생활의 행복한 교제를 할 수 있는 기회도 놓쳤소 내가 다른 학자들 보다 우월한 특전을 누렸다면, 그것은 두려움과 불안과 신중함을 동반하는 것이었지요 내가 지닌 이러한 특전들이 무엇이든 간에, 내가 세상 사람들과 더 많은 교우를 하여 내 생각이 여러 방향으로 미치기 시작한 후로는 그 실체에 대해서도 회의를 품기 시작했소 내가 며칠 동안이고 즐거운 유흥에 빠지게 될 때, 나는 자신의 탐구가 실패로 끝났구나 하는 생각에 항상 빠지게 되고, 내가 대단한 고생을 했고 그것이 헛된 고생이었구나 하는 생각이 드오"

임락이 내심 기뻐하게 된 것은 이 현자의 이해력이 짙은 안개를 뚫고 나오고 있기 때문이었다. 그래서 임락은 마음먹기를, 그가 별들을 다스리는 자기의 임무를 잊고, 이성의 본래의 영향력을 회복할 때까지 그를 붙잡아 둘 생각이었다.

이때부터 천문학자는 그들의 다정한 친구로 받아들여져서, 그들과 여러 계획과 기쁨을 함께 나누게 되었다. 그는 그들에 대한 그의 존경심 탓에 자신의 행동을 정중하게 유지했고, 래설러스의 활동이 많은 시간을 할일 없도록 남겨 두지는 않았다. 무슨 일이든 언제나 해야 할 일이 있었고, 낮에는 저녁때에나 해야 할 얘깃거리를 마련하는데 소요했고, 저녁은 다음 날의 계획을 짜는 것으로 마감했다.

현인은 임락에게 다음 같이 고백했다. 그가 삶이라는 즐거운 소요에 섞여서 시간을 나누어 계속되는 오락을 즐기기 시작한 이래로 발견한 것은, 하늘에 대해 자기가 누리고 있다고 확신하던 권위가 마음에서 점차 시들어 가고 있다는 점이다. 남들에게 결코 증명을 할 수 없는, 그래서 합리성이 관련되지 않은 바탕에서 나오는 주장이 변화를 입기 쉽다는 것을 알게 되어 자기의 견해에 대해서 회의를 느끼게 된다고 고백했다. 그는 말했다. "우연히 나 혼자 몇 시간 있게 되면, 고질적인 확신이 내 영혼에 엄습해서 여러 생각이 억제하기 어려운 맹위를 떨쳐 속박되고는 하지만, 그런 상태가 왕자와 대화를 나누면 곧 풀리게 되고 페쿠아가 입장하게 되는 순간에 자유로워집니다. 나는 습관적으로 망령을 두려워하는 사람 같아서 램프 불을 켜놓으면 안도가 되고, 어둠 속에서 자기를 못살게 굴었던 두려움이 무엇이었던가 의아해 하지만, 램프불이 꺼지게 되면 밝은 때 그가 더 이상 느끼지 않으리라고 알고 있던 공포를 다시 느끼게 되지요 그러나 내가 가끔 염려하는 것은 죄가 되는 태만으로, 마음의 안정을 탐닉하는 나머지 내게 맡겨진 중대한 책임을 임의로 등한히 할까봐 걱정됩니다. 만약 내가 인지하는 과오 속에 빠져 자신을 아끼거나, 나 자신의 편의에 의해 이처럼 중대한 일에 대해 회의스러운 의문에 빠져서 한정된다면, 내 죄가 얼마나 끔찍한 것이 될까요!"

임락이 대답했다. "상상력에서 연유하는 어떤 질병도 죄의식에서 나오는 두려움으로 복합된 장애보다 더 치유키 어려운 것은 없습니다. 환상과 양심이 번갈아 가면서 우리에게 작용하고, 또 흔히 위치를 바꾸기 때문에, 환상에서 연유하는 환각과 양식의 지시가 분별되지 않고 뒤섞이는

182

것이지요. 환상이 도덕적이거나 종교적이 아닌 영상을 제시하면, 그것들이 고통을 수반할 경우 정신은 그것들을 좇아내지만, 우울한 생각이 의무의 형상을 취하게 될 때 그것들은 역으로 작용하지 않고 정신작용을 장악하게 되는데, 그것은 우리가 그것을 제외시키거나 좇아내기가 두렵기 때문이지요. 이런 이유로 해서 미신적인 사람은 자주 우울해하고, 우울증에 빠진 사람은 거의 언제나 미신적이지요.

그러나 소심함에서 나오는 암시가 당신의 이성을 압도하게 하지 마시오. 소홀함에서 오는 위험이란 다만 지켜야 할 책임이 있을 때만 존재할 수 있는 것이고, 얽매이지 않은 상태에서 그것을 고려해 보면 책임은 매우 희박한 것이고, 이 희박성마저도 매일 점점 더 줄어가는 것을 알게 될 겁니다. 종종 당신에게 비추어드는 빛의 영향을 쪼이도록 당신의 가슴을 여시오. 당신이 제 정신인 순간에 생각하게 되면 부질없는 것이란 것을 잘 아는 양심의 가책이란 것이 당신을 괴롭힐 때, 맞상대 하려 머물지 말고 일에 착수하던지 페쿠아에게로 가던지 하시오. 그리고 이런 생각, 즉 당신이 우수한 인간들 중 단 한 원자에 불과해서, 초자연적인 은총이나 재난을 받도록 유독 선택될 만큼 미덕도 악덕도 지니고 있지 못하다는 생각이 위세를 떨치도록 하세요."

183

제 47 장
왕자가 새 토픽을 가지고 들어오다

천문학자가 말했다. "나는 자주 이 점을 생각해보았지만, 나의 이성이 통제할 수 없이 압도되는 생각에 그토록 오랫동안 지배되어왔기 때문에, 이성이 자신의 결정을 신뢰하지 못합니다. 나는 남몰래 나를 좀먹는 망상에 빠져서 내가 얼마나 치명적으로 자신의 마음의 평화를 깨뜨렸나 이제 깨닫게 됩니다. 그러나 나의 우울증이 남들과 대화를 나누는 것을 피하게 했고, 정신적으로 완화될 것이 확실했는데도 나의 걱정을 들어줄 사람을 전에는 찾지 못했습니다. 쉽게 속을 이도 아니고, 또 속일만한 동기나 목적도 가지지 않은 당신의 감정과 나 자신의 감정이 부합되는 것을 발견해서 나는 대단히 반갑습니다. 시간이 흐르고 변화가 와서 나를 오랫동안 에워싸고 있던 우울함을 흩어버렸으면 합니다. 그리고 내 생의 만년이 평화 속에서 지나갈 수 있었으면 합니다."

임락이 말했다. "그대의 학식과 미덕이 당신에게 그런 희망을 주어 마땅하지요."

이때 래설러스가 공주와 페쿠아를 대동하고 들어왔다. 그리고 묻기를 다음날을 위한 어떤 새로운 기분 전환 거리를 고안해 냈느냐고 물었다. 네카야가 말하기를, "삶이란 그러한 것이니 변화를 예상하지 않고는 아무도 행복할 수가 없어요. 변화 자체는 아무것도 아니지요. 변화를 맞이하면 다음에 바라는 것은 또 다른 변화거든요. 세상은 무궁무진합니다. 전에 본 적이 없는 것을 내일은 보았으면 해요"라고 했다.

래설러스가 말했다. "변화는 만족에 꼭 필요한 것인데, 행복한 계곡은 호화스러움의 반복으로 나를 역겹게 했다. 그러나 성 안토니의 승려들이 한결 같은 쾌락이 아니라 한결 같은 고행의 삶을 아무런 불평 없이 지탱해 나가는 것을 보았을 때, 나 자신에 대한 자책의 감정으로 견딜 수가 없었지요."

임락이 말했다. "그 사람들은 애비시니어의 왕자들이 쾌락의 감옥에서 비참한 것보다는 자기들의 침묵만 흐르는 수도원에서 덜 비참합니다. 승려들이 하는 일은 무엇이든 간에 충분하고 사리에 합당한 동기에서 자극 받는 것입니다. 그들의 노력은 그들에게 필수품을 공급해 줍니다. 노력은 제외될 수 없고 틀림없이 보상을 받는 법이지요. 그들의 신앙심은 그들에게 다른 세계에 대비하게 해주고, 그 기도가 그들로 하여금 그 세상에 맞도록 준비하는 동안에 그들에게 그 세계가 가까워 온다는 것을 항상 일깨워주는 거지요. 그들의 시간은 규칙적으로 나누어져서 한가지 일 다음에는 또 다른 일이 따르기 때문에 그들은 무질서한 선택이란 혼란에 빠질 수가 없고, 불안한 나태의 그림자가 드리우지도 않는 거지요. 정해진 시간에 수행되어야 할 어떤 일이 있게 마련이고, 자기들의 노고를 경건의 행위라 생각하고 그것을 함으로써 자기들이 항상 무한한 행복을 향해서 나아간다고 여기기 때문에 그 노동이 즐거운 것입니다."

네카야가 말했다. "선생님은 수도원의 규범이 다른 어떤 곳의 규범보다 더 성스럽고 덜 불완전한 상태라고 생각하시나요? 동료들과 터놓고 교제하고, 자비를 베풀어 불행한 이들을 돕고, 배운 것으로 무지한 자를 일깨우고, 근면으로 삶의 일반적인 체제에 이바지하는 사람도 똑같이 미래의 행복을 기대할 수 있는 것 아닌가요? 비록 그가 수도원에서 행해지는 고행을 행하지 않고, 여건이 되는 대로 해롭지 않은 기쁨을 자신에게 허락한다 하더라도 말입니다."

임락이 말했다. "이 문제는 오랜 세월에 걸쳐 지혜 있는 이들의 의견을 갈라놓고, 선한 이들을 당황케 한 그런 문제이지요. 나는 어떤 쪽으로도 결정을 내릴 수가 없습니다. 속세에서 잘 사는 사람은 수도원에서 잘 사는 사람보다 낫지요. 그러나 누구나 다 속세적 삶의 유혹의 줄기를 자를 수 있는 것은 아닐 겁니다. 그리고 만약 타파할 수 없으면 그는 당연히 물러 나오게 되겠지요. 어떤 이는 선을 행하기에 무력하고, 마찬가지로 악을 물리칠 힘이 없는 것이지요. 많은 사람들이 역경에서 오는 갈등에 지치게 되고, 오랫동안 헛되게 그들을 분주하게 만들었던 격정을 서슴지 않고 분출할 겁니다. 그리고 무수한 사람들이 나이 들고 병들어 힘든 사회적 책무에서 퇴장 당하는 거지요. 수도원에서는 병약한 자나 소심한 자도 행복하게 보호받고, 삶에 지친 이는 안식을 얻고, 회개하는 이는 명상을 할 수 있지요. 기도와 묵상의 피정은 인간정신에 알맞은 것이어서, 누구나 자기와 같이 진지한 몇몇 동료와 경건한 사고 속에서 인생을 끝맺고자 할 거요."

페쿠아가 말했다. "저도 자주 그런 바람을 지녀왔지요. 공주님도 군중들 속에서 죽고 싶지 않으시단 말씀을 하시는 걸 들어왔습니다."

이어 임락이 말했다. "무해한 쾌락을 누리는 자유는 논의의 여지가 없습니다. 그러나 어떤 쾌락이 무해한지에 대해선 아직 검토되어야 할 것으로 남아 있습니다. 네카야 공주가 마음에 떠올릴 수 있는 쾌락의 해로움이란 그 행위자체에 내재內在하는 것이 아니라 그 결과에 있는 것이지요. 쾌락은 그 자체로선 무해하나 해를 끼치는 결과가 될 수 있는데, 일시적이어서 시험적인 것으로 알고 있는 현세의 상황을 우리가 소중히 여기도록 하고, 매 시간 우리로 하여금 시작으로 가까이 돌아오도록 하고, 아무리 시간이 지나도 그 종말에 도달할 수 없게 하는 내세에 대한 우리의 사고를 움츠리게 함으로서 결과적으로 해악을 끼치게 되는 것입니다. 고행은 그 자체로선 미덕도 아니고 유익한 것도 아니나, 그것을 함으로써 관능의 유혹에서 우리를 떼어놓는 것이지요. 우리 누구나 희구하는 미래의 완전한 상태에서는 위험한 요소가 배제된 가운데 쾌락이 있고, 절제가 제외된 가운데 안전이 있을 겁니다."

공주는 침묵했고, 래설러스가 천문학자에게 묻기를, 공주가 전에 보지 못한 것을 보여주어서, 그 여자가 은둔하지 않도록 지연시킬 수 있는 일이 없는가 했다.

현인이 말했다. "그대의 호기심이 그토록 광범하고, 지식에 대한 탐구가 그처럼 강렬한 만큼 이제는 진기함이 쉽게 발견되지 않을 거요. 그러나 살아있는 사람에게서 얻어질 수 없는 것이 죽은 자에게서 주어질 수

187

있을 거요. 이 나라에 있는 진기한 것 중에 지하묘지가 있는데, 그것은 고대의 시체안치소로 옛 사람들의 시체가 놓여 있는 곳입니다. 방부 조치에 쓰인 수지樹脂의 덕택으로 아직까지 부식되지 않은 채 남아 있지요”

래설러스가 말했다. “그 지하무덤을 보아서 어떤 기쁨을 얻을 수 있을지 모르겠습니다. 그러나 아무것도 할 일이 없으니 그것들을 보아야겠고, 무엇인가 해야겠기에 내가 많은 다른 것들과 이것을 비교 평가해 보아야 되겠습니다.”

그들은 말 탄 한 안내자를 고용하여 다음날 지하묘지를 찾았다. 그들이 동굴 무덤으로 들어가려는데 공주가 말했다. “페쿠아, 우리가 다시 사자死者의 처소로 침입하는데, 너는 뒤에 남아 있으리란 걸 안다. 돌아올 때까지 안전하게 있었으면 좋겠다.” 페쿠아가 “아니에요. 저도 가겠어요. 공주님과 왕자님 사이에 끼어서 내려갈래요!”라고 했다.

그래서 그들 모두가 내려갔다. 지하 통로의 미로를 뚫고 놀라움에 차서 이리저리 다녔는데, 그곳 양편에 줄줄이 시체들이 즐비하게 있었다.

제 48 장
임락이 영혼의 본질에 대해 이야기하다

　왕자가 말했다. "무슨 이유로, 다른 나라에서는 적절한 예식이 수행된 직 후 불에 화장을 하거나 땅에 매장하여 흙과 섞이도록 하거나 해서 그들의 눈에 띄지 않도록 하는데 이집트인들은 저들 시체를 저렇게 막대한 비용을 들여 보존해야 했던가?"

　임락이 말했다. "고대 관습의 기원은 대체로 미지인 것으로 남아있지요 왜냐하면 관습의 실행은 그 기원의 원인이 더 이상 존속하지 않는데도 지속되기 때문입니다. 그리고 미신스러운 예식에 대해서 추측을 하는 것은 헛된 것이지요 왜냐면 이성이 지시하지 않은 바를 이성이 설명하기란 불가능한 것이니까요 나는 오래 전부터 생각하기를, 시체를 방부제로 미이라로 만드는 관습은 친척이나 친구에 대한 애착에서 연유한 것으로

189

여겨왔는데, 이런 관습이 대중에게 일반화될 수 없었던 것으로 보이기 때문에 더욱이 이러한 견해 쪽으로 기울어집니다. 모든 죽은 사람이 다 미이라로 만들어져 보존이 되었다면, 그들의 안치소는 세월이 지나면 살아 있는 사람의 생활주거지보다도 더 광대해졌을 것입니다. 내가 짐작하기에 다만 부유하고 지체 있는 이들만이 부식되지 않도록 보존되었고, 나머지 사람들은 자연의 경로에 방치된 것이라 생각합니다.

그러나 흔히들 추측하기로는, 이집트인들은 그들의 육신이 와해되지 않은 채로 지속되는 한은 영혼이 계속 살아 있다고 믿어, 이러한 방법으로 죽음을 피하려 했다고들 추측하지요."

네카야가 말했다. "지혜로운 이집트인들이 영혼을 그처럼 천하게 여길 수가 있었겠나요? 만약 영혼이 육신을 떠나서 살아남을 수가 있다면, 영혼이 후에 육신에서 무엇을 얻을 수 있고 감당할 수 있겠어요?"

천문학자가 말했다. "이집트인들은 분명히 우상숭배의 암흑에서 철학의 여명기에서 그릇되게 생각을 했지요. 영혼의 본질에 대해선 오늘날 여러 가지 더 분명한 지식이 가능한 가운데서도 아직도 논란이 되고 있습니다. 어떤 이들은 영혼이 물질적인 것이라 말하면서도, 그럼에도 불구하고 그들은 그것이 불멸인 것으로 믿지요"

임락이 말했다. "어떤 이는 영혼이 물질적이라고 실로 말했지요. 그러나 전 누구도 생각을 할 줄 아는 사람이 그렇게 생각을 했으리라고는 믿을 수가 없습니다. 왜냐하면 이성이 도달하는 모든 최종적인 결론은 정신의 비물질성을 강조하고, 또 감각에 의한 모든 인지認知나 과학에 근거한 탐구는 물질의 비의식성非意識性을 증명하기 때문이지요

사고란 것이 물질에 내재한다거나, 모든 미립자들이 사고하는 존재라

고 여겨진 적은 한번도 없습니다. 그렇지만 만약 어떤 물질도 사고를 결여하고 있다면, 어떤 부분이 사고할 수 있다고 생각할 수 있나요? 물질이란 형상에 있어서, 밀도에 있어서, 크기에 있어서, 운동에 있어서, 운동의 방향에 있어서 다른 물질하고 차이가 납니다. 이런 물질들의 어느 것에, 그것들이 아무리 다양하게 혼합됐다 하더라도 이들 중 그 어느 것에 의식이 덧붙여질 수가 있나요? 원형이든, 사각형이든, 고체이든 액체이든, 크든 작든, 이쪽으로든 저쪽으로든, 느리게 또는 빠르게 운동을 하든, 이 모든 것들이 물질적인 존재의 양태이고 사고의 본질에는 한결 같이 제외되어 있는 것이지요. 물질이 일단 사고를 지니고 있지 않으면, 새로운 변태에 의해서 사고하도록 만들어 질 수 있는데, 물질이 수용할 수 있는 모든 변태란 지각력하고는 여전히 무관한 것이지요."

천문학자가 말했다. "모든 물질론자들은 물체가 우리가 알지 못하는 특질을 지니고 있다고 주장합니다."

임락이 대꾸했다. "그런 사람은 자기가 알지 못하는 어떤 것이 있기 때문에 그가 이미 알고 있는 것을 부정하는 결론에 도달하는 사람인데, 인지된 확실성에 반대가 되는 가상의 가능성을 설정하는 사람은 합리적인 존재로 용납될 수 없는 것입니다. 우리가 물질에 대해서 알고 있는 것이란, 물질이 활성이 없고, 감각이 없고, 생명이 없단 사실입니다. 이 확신이 우리가 알지 못하는 대상에 의지하는 것말고는 달리 반대의견을 제시할 수 없다면, 우리는 인간의 지능이 시인할 수 있는 모든 증거를 지니고 있는 것이지요. 만약 알려진 대상이 알려지지 않은 것에 의해서 무효인 것으로 처리된다면 전지全知롭지 못한 어떤 존재도 확신에 도달할 수가 없는 것이지요."

천문학자가 말했다. "그러나 너무 오만하게 창조주의 능력을 제한하는 일이 없도록 합시다."

시인이 대답했다. "한 대상이 다른 대상과 일치하지 않는다고 생각하는 것은 동일한 명제가 동시에 진실이고 허위일 수는 없다는 것, 한 숫자가 짝수이며 홀수일 수는 없다는 것, 사고 불가능한 것으로 창조된 사물에 사고란 것이 부여될 수 없다고 생각하는 것은 전능의 존재를 제한하는 것이 아니지요."

네카야가 말했다. "저는 이 문제가 어떤 지대한 효용이 있는지 알 수 없어요. 제 생각으로는 당신이 충분히 증명한 비물질성非物質性이란 것이 분명히 영원의 지속도 포함하는 것인가요?"

임락이 말했다. "비물질성에 대한 우리의 생각은 부정적입니다. 그리하여 또한 모호하지요. 비물질성은 모든 부식의 원인에서 제외되는 결과로서 영원한 지속성을 가진 자연력을 암시하는 것 같습니다. 무엇이든 소멸하는 것은 조직의 와해와 부분들의 분리에 의해서 파괴되는 것인데, 부분을 가지지 않아서 와해를 용납하지 않는 것이 저절로 부패되거나 손상된다고 우리가 상상할 수 없는 겁니다."

래설러스가 말했다. "나는 대체로 어떤 것도 외연外延이 없는 것을 개념화할 방법을 모르겠습니다. 무엇이든 공간적으로 연장되는 것은 부분을 가지게 되고, 무엇이든 부분을 가진 것은 파괴될 수 있단 것을 당신도 시인하시지요."

임락이 대답했다. "당신 자신의 개념을 숙고해 보세요. 그러면 어려움이 덜 할 것입니다. 당신은 외연이 없는 실체를 발견할 것입니다. 어떤 이상적인 형태도 물질적인 부피 못지 않게 실존적인 것이나, 이상적인 형태는 외연을 지니지 않지요. 분명한 것은 피라미드를 두고 생각해보면 되는데, 당신의 마음이 피라미드의 개념을 소유하게 되고, 그것은 피라미드 자체가 서 있다는 사실 못지 않게 확실합니다. 피라미드에 대한 개념이 한 알의 곡식에 대한 개념이 차지하는 것보다 더 큰 공간을 차지하나요? 혹은 그 어느 개념이라도 상처를 받을 수 있는 건가요? 결과가 그런 것처럼 원인이 그렇고, 생각이 그런 것처럼 생각할 수 있는 힘이 그런 것이니, 그 것은 무감동하고 분리할 수도 없는 힘인 겁니다."

네카야가 말했다. "그러나 내가 이름 부르기조차 두려운 그 존재는, 영혼을 만든 바로 그 존재는 그것을 파괴시킬 수도 있지요."

임락이 대답했다. "확실히 그 분은 영혼을 파괴시킬 수 있지요. 왜냐하면 영혼이 아무리 불멸이라 하더라도, 그 자체의 지속성의 힘을 더 우수한 본질에서 받는 것이니까요. 영혼이 내재하는 소멸의 원인 혹은 부패의 원리에 의해서 사멸하지 않는다는 것은 철학에 의해 예시될 수 있겠습니다. 그러나 철학이 더 이상 규명할 수는 없지요. 그것을 창조한 존재에 의해서 멸하지 않을 것임을 더 높은 차원의 권위로부터 우리는 겸허하게 배워야 합니다."

함께 있던 모든 사람이 잠시 말없이 마음을 가다듬고 서 있었다. 래설러스가 말했다. "자, 이제 이 운명의 장소에서 돌아갑시다. 자기가 결코 죽지 않아서, 지금 행위 하는 그 기능을 지속하고, 지금 사고하는 영혼은 영원히 사고하리란 것을 알지 못한 이에게는 이 죽은 사람들의 저택들이 얼마나 암울했겠나요. 여기 우리 앞에 몸을 펴고 누워 있는 이들은, 고대 시대의 지혜 있고 세력 있었던 이들로, 우리의 현재 상태의 짧음을 명심하라고 우리에게 경고하오. 그들도 우리처럼 삶의 선택을 하느라 분주했던 순간에 불시에 붙들려 갔을 지도 모르지요”

공주가 말했다. “내게 있어 삶의 선택은 점점 덜 중요해집니다. 바라건대 앞으로는 단지 영원의 선택만을 생각할까해요”

그들은 서둘러 동굴에서 나와 안내인의 보호를 받아 카이로로 돌아왔다.

제 49 장

아무것도 결론지어지지 못한 결론

이제 나일강에 홍수가 지는 시기였다. 그들이 지하무덤을 찾아갔다 온후 수일이 지나서 강물이 불어 오르기 시작했다.

그들은 집안에 갇혀 있게 되었다. 전 지역이 물아래 잠겨서, 외출같은 것은 생각할 수 없었다. 그러나 얘기 거리가 많은 지라, 그들이 관찰한 여러 가지 삶의 형태를 비교하면서 또 그들이 마음 속에 품게 된 갖가지의 행복에 대한 계획으로 소일하게 됐다.

페쿠아는 아랍인이 공주에게 자기를 인도해준 성꽃 안토니 수도원처럼 마음에 들었던 곳이 어디에도 없어서, 그곳에 경건한 처녀들이 가득 모이게 하여 수녀원장이 됐으면 했다. 그 여자는 기대에도 혐오의 감정에도 싫증이 났는지라 어떤 변함 없는 상태에 고착됐으면 하고 바랐다.

공주는 모든 지상의 것 중에서 지식이 최선인 것으로 여겼다. 공주는 먼저 모든 학문을 익히고 여성학자들을 모셔다 대학을 세우고, 그곳을 주재하여 나이 먹은 이들과 교우하고, 젊은이들을 교육하며, 지혜의 습득과 전달에 시간을 활용하고, 다음 세대를 위하여 신중성의 전형과 경건의 모범을 배양했으면 했다.

왕자는 친히 의義를 행하고 모든 행정 부서를 눈으로 목격 할 수 있는 작은 왕국을 다스렸으면 했다. 그러나 자기지배의 영역에 한계를 정하지 못한 채 백성들의 수를 계속 늘리는 것이었다.

임락과 천문학자는 자기들의 항해의 경로를 어떤 특정한 항구에 못박지 않고 인생의 시내를 따라 흘러가는 것에 만족했다.

그들이 마음먹은 이 모든 희망 중에서 어느 것도 성취되지 않으리란 것을 그들은 잘 알았다. 얼마 동안 무엇을 할까하고 그들은 숙고해 보았고, 홍수가 그치면 애버시니어로 돌아갈 작정을 했다.

새뮤얼 존슨(1709-1784) 연보

1709   새뮤얼 존슨 탄생(9월 18일). 당시 부친은 스태포드셔, 리치필드 시의 치안관이자 서적상이었다.

1719-25   리치필드 소학교에서 존 헌터의 문하에서 배우다. 아버지를 도 와 서점에서 일하면서 많은 독서를 했다.

1728   옥스퍼드의 펨브르크대학에 입학하다.

1729   학위 없이 옥스퍼드를 떠나다.

1731   부친 마이클 존슨 타계하다.

1732   레스터셔의 마키트 보스워드 학교의 보조교사에 임명되었으나 그 해에 사퇴하다.

1733   버밍엄에 살았고, 저롬 로보 신부의 『애비시니어로의 여행』을 영역하다.

1735   20세 연상의 미망인 엘리자베드 포오터와 결혼하다. 리치필드 부근 이디얼에 사설학교를 열다. 열 명도 못되는 학생들 중에 후에 셰익스피어 연극의 유명한 배우가 되는 데이비드 개릭이 있었다.

1737   개릭을 동반하여서 런던으로 떠나다. 비극『아이린』을 쓰다. 아내를 런던으로 데려오다.

1738	시 「런던」을 발표하여 성공을 거두어 곧 3판을 거듭하다. 당대의 대표시인 알렉산더 포우프에게서 칭찬 받다. 리처드 새비지와 교우하다.
	『젠틀맨즈 매거진』에 의회토론을 보도하다.
1744	「리처드 새비지의 생애에 대한 서술」을 출판하다.
1745	「맥베드의 비극에 관한 소고」를 쓰다.
1747	「영어 사전에 관한 계획서」를 출간하다.
1749	「인간 소망의 허무」란 장편시를 발표하다. 후에 티 에스 엘리어트는 이 작품에 근거하여 존슨을 중요 시인이라 단정한다. 비극 『아이린』이 개릭의 연출로 공연되고 출판되다.
1750-52	『램블러』란 이름으로 주 2회에 걸쳐 에세이를 출간하다. 모두 208회를 기록하다.
1752	아내 타계하다.
1753-54	『어드벤쳐러』라는 정기간행물에 에세이를 기고하다.
1755	『영어사전』이 출판되다. 이는 후에 나오는 영어사전의 전범이 되고 그 팩시밀리판은 바로 지난 세기 말에도 호화장정으로 나왔다.
	옥스퍼드 대학에서 문학 석사학위를 받다.
1756	「셰익스피어의 희곡작품 간행에 대한 제언」을 발표하다.
1758-60	『아이들러』란 이름으로 에세이를 출간하여 모두 104회를 기록하다.
1759	모친 타계하다. 『애비시니어 왕자 래설러스 이야기』를 출판하다.
1762	연 300파운드의 국왕연금을 수령하다.

1763	스코틀랜드 사람 제임스 보스웰을 만나다. 보스웰은 존슨이 서거할 때까지 교우하면서 그와의 담화와 일거일동을 정확히 기록한 『새무얼 존슨 박사의 생애』를 내어놓으니 이는 영문학 사상 불후의 전기가 된다.
1764	문학클럽이란 모임을 만들어 당대의 저명인사들이 가입하니 그 중에는 버어크, 보오클레어, 골드스미드, 호킨스, 랭튼, 레널즈 등이 창립회원을 이루다.
1765	드레일 부부와 교우하게 되어 그들의 보살핌을 받는다. 그들의 저택은 런던 지식인들의 만남의 장소가 된다. 더블린의 트리니티 대학에서 법학박사 학위를 받다. 「서문」을 포함한 『윌리엄 셰익스피어의 희곡집』을 출판하다.
1773	보스웰과 함께 스코틀랜드, 헤브리디스를 여행하다.
1775	『스코틀랜드의 서부제도로의 여행기』를 출간하다. 옥스퍼드 대학에서 민법박사 학위를 받다. 드레일 부부를 동반하여 프랑스 여행을 하다.
1779-81	『영국시인들의 생애』를 출간하다
1784	새뮤얼 존슨 서거하다(12월 13일). 웨스트민스터 사원에 안장되다.

역자 후기

I

　혹시라도 독자들이 이 책을 처음 대하고는 한 왕자가 어려운 모험 끝에 아리따운 공주를 만나 결혼하여 오래오래 살리라는 전형적인 로맨스를 은근히 기대했다면 그 예측은 빗나간 것이다. 존슨은 이 책에서 당시에 대중에게 인기가 있었던 동방 이야기를 배경으로 자신의 사상, 종교적인 성찰, 인간조건에 대한 통찰등을 등장인물들의 대화나 서술을 통해서 자연스럽게 설파하고 있다. 등장인물들 중에서 특히 임락의 가르침은 존슨의 다른 글, 『램블러』나 『아이들러』같은 에세이에서 약간 다른 어조로 반복된다. 또 어떤 이는 『애비시니어 왕자 래설러스 이야기』는 산문으로 된 「인간소망의 허무」라고 말하는데 아주 그럴 법한 주장이기도 하다. 또한 『애비시니어 왕자 래설러스 이야기』에는 존슨의 여타 다른 글들이 담고 있는 주의, 철학, 도덕관, 종교관 같은 것들이 녹아들어 있다. 그러므로 존슨 자신이 "자그마한 이야기 책"이라고 겸손하게 말했지만 그것이 당대에 유행하던 여타의 "동방 이야기"와는 다른 것임은 신중한 독자 누구에게라도 명백하다. 여기에는 탈출도 있고, 모험도 있고, 유괴사건도 발생하지만, 그런 사건들은 이야기를 이끌어 나가는 데 소용되는 외형적 장치에 불과하거나 작가가 각각의 등장인물을 통해서 들려주고자 하는 이야기 또는 가르침에 대한 배경이 될 뿐이다. 한 마디로 말해서 이 책은 이야기의 형식을 빌려 철학과 도덕의 문제를 다루는 담화의 글이라고 할 수 있다. 이런 형식의 글은 서양문학에 흔히 있으며, 『구약성서』의 「욥기」라든지 또 서양 철학의 원류하고 할 수 있는 플라톤의 모든 대화에서 그 예를 찾아볼 수 있다. 18세기 후반의 영국 문화계를 풍미했던 문학적 거인으로서 존슨은 이러한 글에 익숙했으며 이 자서전 같은 중편 소설 정도 분량의 작품에서 그 문학적 형식을 잘 활용하고 있다.

어떤 학자들은 존슨이 종종 지나치리만큼 비관적인 세계관을 가졌다고 말하기도 한다. 하지만 이는 존슨의 현실적인 측면을 지나치게 좁게 해석한 경우라고 할 수 있다. 대개의 경우 존슨은 현실에 대한 안이한 태도를 경계하여 철저히 사실에 근거한 입장을 강조하는 경우가 많았다. 또한 존슨은 그의 글 도처에서 현실을 도외시하는 로맨틱한 환상을 억제해야 한다는 주장을 했다. 이 작품에서도 존슨은 현실에 바탕을 두지 않은 낭만적 태도를 비판할 수 있는 방법의 하나로 아이러니를 빌어서 인간 현실의 양상을 그려냈는데, 이 정도면 그를 염세적이라고 하기보다는 철저한 현실주의자라고 평하는 것이 합당하다고 본다.

이 작품의 도입부에 묘사되는 "행복한 계곡"은 애비시니어에 있었다고 믿어지는 지상의 낙원이다. 그곳은 세상의 모든 다양성이 상존하고, 자연이 줄 수 있는 온갖 축복이 상존할 뿐 아니라, 모든 악한 요소들이 제거된 상태로 묘사된다. 태초의 낙원에서 인류의 선조가 영원한 봄날을 구가했던 것처럼 "행복한 계곡"은 인간의 모든 감각을 충족시켜 줄 수 있는 요소들을 제공하지만, 그 점이 바로 여기에 영원히 유폐되어있는 왕자에

201

게 다스릴 수 없는 불만을 제공하는데 이것이 바로 행복을 찾아서 "행복한 계곡"을 떠나야만 하는 왕자의 처지가 내포하는 아이러니이다. 안락과 쾌락이 넘치는 "행복한 계곡"에 사는 애비시니어 왕자 래설러스는 행복을 누리기로 되어있는 그 계곡에서 홀로 행복하지 않다. 유폐된 곳에서 탈출을 꾀하는 그에게 공감하여 모험에 동행하게 되는 사람들이 있는데, 그들은 래설러스가 특별히 아끼는 여동생 네카야 공주와 세상을 두루 편력하여 견문과 학식이 많은 현인 임락, 그리고 시녀 페쿠아이다.

시인 임락이 안내자로, 스승으로 동행하는 탐색의 길에서 이들 일행이 접하는 인간조건이란 다양하다. 그들은 도시며 시골도 지나고, 현인과 목동도 만나고, 천한 신분의 가정도, 위대한 인물의 저택도 드나들고, 젊은 허풍선이도, 근엄 경건한 노인들도 만난다. 그들은 또 고대의 기념물들을 찾아 옛 인류의 특징 같은 것도 알아보려 하지만, 이 모든 추구가 한 가지 진리로 요약되니, 바로 임락이 "행복한 계곡"을 떠나기 전에 설파했던 것, 즉 "인간의 삶이란 어디에서나 마찬가지여서 견디어야 할 것은 많지만, 즐길 것은 별로 없는 상황"이라고 하겠다.

인간의 조건이 다양한 만큼 인간이 감수해야하는 불행의 원인 또한 다양한 것인데, 가장 근본적인 것은 인간에 내재하는 본성 자체에서 찾을 수 있다. 인간의 심리란 행복한 상황에 있으면서도 무언가를 소망하고, 행복하면서도 그 행복에 만족하지 못한다. 그들 세 젊은이들이 "행복한 계곡"을 탈출하게 된 것도 바로 이 모순성을 극명하게 보여주는 좋은 예가 된다. 이 젊은이들은 끊임없이 상상 속에서 사상누각을 짓기를 멈추지 않는다. 임락은 피라미드를 설명하면서 "인생을 끊임없이 괴롭히는, 그래서 어떤 일에 몰두해야만 달랠 수 있는 상상력의 배고픔에 추종하는 나머지 축조된 것"이라고 단언한다. 현인 임락이 결론짓기를 "이 거대한 구조물은 인간 쾌락이 충족될 수 없음을 나타내는 기념비"이다. 그래서 지혜로운 시인은 젊은 왕자 일행에게 일러주기를 삼가지 않는다. "그대가 누구이든 평범한 여건에 만족하지 않고 왕위의 호화로움에 행복이 있다고 상상하거든, 또 군림하고 부를 누리는 것이 무한한 만족감으로 진기함에 대한 욕망을 채워준다고 꿈꾸는 이는, 피라미드를 보고, 그대의 어리석음을 자인하시오!" 이제 인류가 남긴 불가사의한 문화유산 앞에서 임락은 "상상력의 배고픔"에서 기인하는 인간향락이 충족될 수 없다는 증거로 이 거대한 기념비를 예시해준다. 이 부분은 작품 속에서 임락이 래설러스에게 들려주는 인간소망의 허무함이려니와 또 한편으로는 존슨 자신이 누차 다른 글에서 주장하는 바, 상상이나 환상이라는 인간심리의 무절제한 작용으로 허망되고 부질없는 우행이 자행될 수 있다는 위험을 상기시켜 주는 대목이기도 하다. 독자들은 임락의 말에 독자에게 들려주고자 하는 존슨 자신의 견해가 삽입되고 있음을 종종 볼 수 있는데 이것이 그 좋은 본보기이다. 『애비시니어 왕자, 래설러스 이야기』가 「인간 소망의 허무」의 산문 판이라고 후세 사람들은 주장하기도 하는 것은 바로 이러한 이유 때문이다.

이들은 먼 유랑 후에 카이로에 이르는데, 여기서 각양각색의 인간 조건에 처한 여러 인간 유형을 만나게 된다. 사업에서 흥하는 사람은 황제의 대신을 두려워하며 살아야 하는 것이고, 또 대신은 황제를 두려워하는 처지이고, 최고의 권력을 장악하는 황제는 만인에 대한 의심에서 오는 고통을 감수해야 한다. 여기에 제시되는 모든 사건들 어느 것도 예외가 아니어서 하나같이 양면성을 지니는 현실을 보여준다. 래설러스는 행복이

지상 그 어디에선가 발견될 수 있으리란 신념을 가지지만, 어디에서도 그것을 찾을 수 없으며 "행복한 계곡"을 탈출한 이들 여행자들은 신기루 같은 환멸을 목격할 뿐이다.

여행자들이 피라미드를 보고 나왔을 때 시녀 페쿠아가 유랑하는 아랍인들에게 납치되는 뜻밖의 재난이 그들에게 닥치는데 페쿠아 일행이 그 이상의 신체상의 피해를 당하지는 않는다. 이와 함께 연상되는 장면은 이 이야기의 초반부에 등장하는 비행술을 시험하려는 장인이다. 그는 실험에 실패하여 호수로 추락해 빠지기는 했지만 몸은 온전히 구할 수 있었다. 페쿠아의 경우도 이 장인과 마찬가지로 큰 위험을 당하기는 했지만, 그 어느 한 사람도 잔인할 만큼의 피해를 당하지는 않는다. 이 점은 존슨의 자비롭고 너그러운 휴머니스트로서의 모습을 보여준다고 할 수 있다. 존슨이 인간 조건의 암울한 면을 되풀이 하여 서술하지만 그의 도덕적인 "우화"에서 우리가 얻게 되는 안도는 페쿠아 없이 상심하는 공주를 위로하는 임락의 말에서 엿볼 수 있다. "그대에게서 한 가지 기쁨이 앗겨졌다고 해서 그 밖의 기쁨까지도 거부하는 것은 합당한 것이 못됩니다"라고 설득하는 임락은 현실과 이성에 따라 처신할 것을 공주에게 넌지시 일깨우는 것이다. 이런 자애롭고 너그러운 임락의 모습은 대체로 회의적인 전체 분위기에 희망과 안도의 가능성을 열어주는 도덕군자로서의 존슨다운 일면을 예시한다.

II

이 작품에는 반복되는 이미지가 있는데 그 중에서 두드러진 것 하나를 들자면 나일 강이다. 서사시의 도입부를 방불케 하는 처음 시작에서 애비시니어에서 나일 강의 근원이 비롯한다는 것을 강조하였다. 그 다음에 이어서 임락은 자기가 태어난 곳이 또한 강의 원류에서 그리 멀지 않은 고이아마 왕국이란 것을 밝히어 이야기 배경을 구체화한다. 그 다음으로 이들 여행자들이 탈출에 성공하여 산의 정상에 올랐을 때 저 아래 멀리 그들의 시아에 들어오는 것 또한 나일 강인데, 이곳에서 나일 강은 "아직은 가느다란 줄기를 이루어 그들 발 아래에서 굽이굽이 흐르고 있다." 마지막에 가서 이 작은 물은 커다란 홍수로 범람한다. 그런데 이 시작하는 물을 보고서 젊은 왕자는 기대에 벅찬 나머지 희열을 감추기 어렵고, 임락조차도 "행복한 계곡"에서의 유폐된 생활을 벗어남에 기쁨을 느낀다. 다음으로 나일 강은 어느 은둔자의 피신처 가까운 곳에서 흐른다. 그 은둔자는 한때 군에 종사하여 최고의 지위에 올랐으나 젊은 사관의 발탁이 역겨워 강가의 동굴을 피난처로 삼아서 칩거한다. 그가 아무것도 얻은 것이 없다고 실토하는 장소 가까이 흐르는 이 강은 속절없이 흘러가 버린 그가 누린 한때의 영예에 대한 은유가 되기도 한다.

이야기의 한가운데 또다시 나일 강이 흐르는데 이 경우는 여타의 경우와는 대조된다. 왕자와 공주가 함께 한 자리에서 공주는 "큰물의 근원이여, 말하여 주소서. 여든 나라를 지나서 물결을 흘려보내는 그대여, 그대 원천의 땅의 왕녀의 기원에 답하소서. 그대의 여정을 통하여 불평의 웅얼거리는 소리가 들리지 않는, 그대가 물을 공급하는 단 한 마을이라도 있는지 들려주소서"라고 강에게 호소한다. 이것은 바로 공주가 일반 가정을 탐방하여 평화와 행복의 소재를 탐색했지만, 그 시도가 여전히 실패로 끝났음을 알리는 부분이다. 네카야 공주의 이 독백 같은 호소는 행복을 추구하기 위한 "삶의 선택"이 무의미한 것이고, 그들이 깊은 회의로 치닫고 있음을 웅변적으로 말해준다. 여기서 여든 나라를 지나 흐르는 강물은 단순한 외형적인 객체라기보다는 그 이상의 대상으로서 왕녀의 깊은 고뇌를 담고서 무심히 흐르는 것 같아 인생유전의 허무함을 아는지 모르는지 궁금해진다. 제 29장의 마지막 부분에서 공주는 인간조건의 양면성 내지는 양자택일의 불가피함을 강조하여 "어느 누구도 나일 강의 원류에서, 또 하류에서 동시에 물을 떠서 자기의 잔을 채울 수는 없지요"라고 평범한 진실을 말한다. 이는 바로 이들이 목적한 바, "삶의 선택"이란 것이 근본적으로 배제의 불가피성을 가진다는 뜻이다. 여기에서 임락은 "그대들이 삶의 선택을 하느라고 삶 자체를 등한히 하고 있습니다"라고 그들에게 넌지시 경고한다.

이와 같이 놀랍도록 환멸에 가득한 장면이 계속 이어지는데, 이 작은 이야기책에는 비통함이나 냉소의 흔적을 찾아볼 수가 없다. 젊음이 지니는 기대라든지, 무지에서 생겨나는 확신 같은 것에 대해서 한 치의 반감이라든지 일말의 조바심 같은 것도 발견할 수가 없다. 진정 임락은 인간약점을 철저히 간파했다 할 수 있고, 그에 대한 관용에 시종일관할 수 있는 경지에 도달한 인물이다. 바로 임락의 이 성품이 그에게 마음을 열고 대하는 독자에게 인간 소망의 허무를 어느 정도 감수할 수 있는 경지로 안내하여 주고 있는 것이다.

나일 강의 원류에서 이 이야기는 시작하였다. 그 강이 범람하여 큰 물을 이루어 등장인물들이 "아무것도 결론지어지지 않은" 상황에서 억류된 모습으로 막을 내리는데 이 점이 또한 존슨 특유의 아이러니를 보여준다. 통상의 로맨스라면 젊은 왕자나 공주가 결혼을 하고, 행복하게 잘 살았다는 식으로 끝을 보였을 것이다. 전통적인 로맨스와 달리 "오픈 엔딩"이랄 수 있는, 맺음이 없는 무결론의 결론을 제시하는 마지막 장에서도 페쿠아는 수녀원을, 공주는 대학을 경영하는 꿈을 지니는 것이다. 또 왕자는 소왕국을 의롭게 다스렸으면 하는 꿈을 지닌다고 서술한다. 이 젊은 사람들은 나름의 특권이라 할 수 있는 포부를 지니나 그 같은 소망은 다음 순간 사라지는 것으로 묘사된다. 여기서 분명한 것은 "삶의 선택"을 찾아서 "행복한 계곡"을 나왔던 이들 일행이 이 여정의 끝에서 얻는 것은 그들이 슬프기는 하지만, 더 슬기로운 인물들로 변모되었을 법한 사실이다. 그에 대비되어 인생유전人生流轉이란 만고의 진리를 이미 깨달은 두 노인들은 인생이란 "시내를 따라 흘러가는" 미래를 기대하는 것이다. 구체적이고 특정한 인물들이 등장하는 이 "이야기 책"에서 이들 인물들이 대변하는 바는 모든 인간군상의 면면을 암시하는 다분히 현세적인 모습을 담고 있음을 본다. 모두 강물처럼 흘러간다.

III

이제 존슨의 편린을 엿볼 수 있는 단편적인 것들을 몇 가지 소개한다. 존슨은 어려서부터 셰익스피어를 읽었다. 한번은 우연히 지하층 부엌에서 『햄릿』을 읽기 시작하여 유령이 나오는 장면에 이른 순간 허겁지겁 위층으로 올라가 거리로 향한 문간으로 가서 주위에 사람들이 있는 것을 확인했다. 그의 나이가 아홉 살이 채 되지 못했을 때이다. 이처럼 존슨은 어려서 셰익스피어를 읽기 시작하여 노년에 이르도록 평생을 그 방면에 정진한 사람이다. 1756년 「셰익스피어의 희곡작품 간행에 대한 제언」을 발표한 이래, 거의 십 년이 지나서 「서문」을 포함한 『윌리엄 셰익스피어 희곡집』을 세상에 내어놓았다. 학자들은 이 책의 가치를 높이 평가하여 당대까지 나왔던 셰익스피어의 텍스트로서 가장 훌륭하였다고 의견의 일치를 본다. 그의 작품의 본문들이 잘 다듬어졌을 뿐만 아니라 그에 대한 해설로서의 주석 또한 썩 훌륭하다는 평가를 받는다. 더구나 이 희곡집의 「서문」은 그 당시까지 있었던 셰익스피어의 업적에 관한 진술로서 가장 훌륭한 것이었다는 데에 이론이 없다. 그래서 현대에 이르러서도 셰익스피어를 연구하는 이들은 존슨의 이 「서문」을 도외시하지 않는다. 이 「서문」이 전문적인 셰익스피어 연구에 중요한 문헌이란 것이 실감나지 않는다면, 우리에게 더 익숙한 저 유명한 『국부론』의 저자 아담 스미스가 이 「서문」이 "이제까지 어느 나라에서 쓰인 비평문 보다 씩씩한 비평문"이라고 칭송한 적이 있음을 부언한다. 경제학자이자 빼어나게 명료한 문체를 구사하는 문필가인 애덤 스미스가 동시대의 문장가에게 주는 평가란 점에서 주목할 만하다. 이 「서문」이 셰익스피어 연구에 중요한 글이라고 한다면 그보다 더 일반적인 문학 비평에서 소개되는 글은 존슨의 "작은 이야기책"의 한 부분에서 볼 수 있다. 바로 이 책의 제 10장, "시에 대한 논술"에 다음과 같은 대목이 있다.

> 시인의 일이란 개체가 아닌 전체를 대상으로 고찰하는 것이
> 고, 일반적인 특징과 보편적인 현상을 눈여겨보는 것이지,
> 튤립 꽃에 난 줄무늬를 세는 것도 아니고, 숲의 녹음에 나타

나는 서로 다른 명암의 정도를 묘사하는 것도 아닙니다. 시인은 자연을 묘사하는데 있어 두드러지고 현저한 특징을 보여주어서 읽는 이에게 원형을 상기시켜줄 수 있도록 해야 합니다.

여기서 임락이 "전체"라는 말로 암시하는 바는 플라톤의 "이데아"로서의 전체를 뜻하는 것이 아니라 감각 경험에 의한 일반화를 의미하는 것이다. 임락이 의미하는 묘사해야 하는 본질이란 무수한 특정된 체험에서 생겨날 수 있고, 특정 계층의 모든 대상에서 나타나는 현상을 의미하는 것이다. 이처럼 존슨은 플라톤의 우주적인 "이데아"의 개념에서 일반화된 추상적인 개념을 강조하여 그의 신고전주의적 비평태도를 보여준다. 이와 같은 입장은 바로 그 다음에 오는 낭만주의의 기치를 든 이들과 여러 가지로 모순 상충되는 경우를 드러낸다. 어떻든 존슨은 일반 문학비평에서도 구체적인 현상과 행위를 들어서 상식적인 차원에서 시인의 본질이라 믿는 바를 제시한다. 존슨의 견해에 의하면 시인이란 "인간본성의 해설자"이고, 인류의 법을 제정하는 존재로, 시공을 초월하는 존재가 되어야 한다.

IV

존슨은 생전에 "존슨 박사"라는 칭호로도 널리 알려졌지만, 그 못지 않게 "딕셔너리 존슨"이라고도 불렸다. 그는 1747년 「영어사전에 관한 계획서」를 발표한 이후 8년여에 걸친 노고 끝에 2절판으로 된 두 권의 영어

사전을 세상에 내어놓았다. "사전 존슨"이라고 불릴 만큼 당시에도 주요 업적으로 여겨졌을 뿐만 아니라 후세의 학자들도 그 책을 "거대한 책"이라든지 "존슨 업적의 핵심"이라고 한다. 이는 그 사전의 외형상의 크기를 말한다기보다는 영어문학사에 있어서 그 사전이 차지하는 의미의 심장함을 뜻한다고 본다. 그것은 유용한 참고서이면서 문학사에 빛나는 업적물이다.

그 작업을 이루기 위해서 존슨은 방대한 양의 어원을 수집하고, 그 못지 않은 양에 달하는 단어의 정의를 모았다. 약 사만에 달하는 어휘를 망라했으며 그것을 뒷받침할 수 있는 인용문을 집대성했는데, 모두 11만 6천에 달하는 것이었다. 이따금 몇 사람의 필경사를 고용한 적이 있기는 해도 그 많은 분량의 일을 거의 단독으로 작업해냈다고 한다. 이 부분에 누구나 으레 그렇듯이 역자도 수치를 들어서 예시한다. 프랑스말 사전을 편찬한 아카데미는 40명의 회원을 투입하여 40년이라는 세월에 걸쳐서 그들의 사전을 만들어냈는데 존슨은 자신이 3년만에 어원수집을 했노라고 친지에게 설명한바 있다. 그래서 존슨은 영국인 3명의 능력은 프랑스인 1,600명에 해당한다고 덧붙여 설명했다고 보스웰은 그의 『새뮤얼 존슨 박사의 생애』에서 적고 있다. 이것은 단신으로 한 언어를 총괄하는 작업을 해낸 미증유의 대업이라고 일컬을 수 있는 드문 예가 되겠다.

또 한 가지 특기할 일은 10만개가 넘는 인용문의 출처이다. 존슨은 고대로부터 그 당시에 이르기까지 수세기에 걸쳐 영어로 쓰인 가장 아름다운 산문과 운문에서 모범이 될 만한 글들을 따 모은 것이다. 물론 그들 인용문의 원전은 우리가 생각하는 좁은 의미의 문학작품에 국한된 것은 아니다. 문학 외에도 의학, 법학, 역사, 정치, 신학, 철학, 자연과학등 모든 분야의 대표적인 글에서 정수가 될 만한 것들을 집대성했다. 그런 만큼 막대한 분량의 영국문화가 이 사전에 수록되었음은 말할 것도 없거니와, 그 인용문들을 읽어서 존슨이라는 대문필가의 독서의 내용을 엿볼 수 있고 그의 관심의 맥을 짚을 수도 있다. 한마디로 이 사전은 존슨 자신의 지식의 구조적인 총체를 보여준다. 마치 당대 최고 지성의 정신세계를 객체화한 도표를 보는 듯하다. 종교에 있어서 존슨은 비논쟁적이며 보수적인 경향을 보였고, 정치와 철학에 있어서는 안전한 주류의 영역을 견지했다. 그의 사전에 드러나는 경향이 에세이나 담화에서 표현된 그의 주장과 꼭 일치하지는 않는다 해도 다소의 상통성이 있다고 보아 후세의 학자들은 당시 문화의 집합체로 존슨의 사전을 연구하기도 하는데 그것은 흥미로운 작업이라 생각한다.

그런데 여기 덤을 한 가지 덧붙인다. 이 사전에 실린 "귀리"라는 단어의 정의를 한번 보자. 아마 대개의 사전은 "어떤 속에 해당되는 무엇"처럼 식물학적 서술방법을 동원하여 설명할 것이다. 하지만 존슨은 그의 사전에서 귀리를 "잉글랜드에서는 말에게 주는 곡물, 스코틀랜드에서는 사람이 먹는다"라고 정의하고 있다. 곡물에 대한 정의치고는 너무나 존슨의 성향을 솔직하게 보여주는 것이 아닐 수 없다. 이처럼 존슨은 스코틀랜드 사람에 대하여 치유하기 어려운 편견을 지녔고 그 점을 사전에서 보여준다. 그런데 존슨 사후 그의 전기를 써서 존슨뿐만 아니라 자신의 이름도 불멸의 존재로 만든 보스웰이 스코틀랜드 사람이라는 사실은 흥미롭지 않을 수 없다. 또 하나, 그 사전을 만든 존슨 자신의 직업인 "사전편찬가"라는 단어에는 그가 어떤 정의를 내렸는지 살펴보는 것도 재미있다. 존슨은 그의 사전에서 사전편찬가를 간단하게 "무해한 잡역부"라고 정의하고 있는데, 이것은 자신이 하고 있는 고도의 전문성을 요구하는 일을 악의 없이 비하하는 여유와 유머를 보여주는 예라 할 수 있다. 또 "지루한"이라는 단어에는 "사전을 만드는 일이란 지루한 작업이다"라고 간단한 예문을 들기도 했다. 존슨은 때로는 고답준론을 서슴지 않는 크리스천 모럴리스트이기도 하지만, "영문학사에 영원히 공헌하는 사전"에 이처럼 장난스러운 흔적도 남겼다. 이것들은 모두 인간미 넘치는 인문학의 대가인 존슨이 보여주는 "무해한 잡역부"로서 모습을 보여주는 편린 같은 것이다. 이처럼 존슨이 편찬한 사전에는 당대를 풍미한 존슨의 휴머니스트의 성격 그리고 그 성격이 보여주는 기이함과 변덕스러움이 살아 숨쉬고 있기에 많은 영어권 지역의 사람들은 이 사전을 소중한 참고서로 간직할 뿐 아니라 특별한 애착을 가지고 항상 함께 하기를 즐기는 보배로 삼는다. 역자는 이에 대한 증거를 지난 세기가 끝나갈 무렵 서울의 한 서점에서 목격한 적이 있다. 그들이 2세기 반도 넘는 과거에 만들어진 존슨의 『영어사전』을 놀랍게도 아직도 팩시밀리 판으로 만들어 내고 있는 것을 보았을 때 역자는 존슨에 대한 영어권 사람들의 변함없는 사랑을 확인할 수 있었다. 영어로 된 사전은 세계적으로 인정을 받는 것이 몇 질이나 된다는 것은 주지의 사실이다. 그런데도 존슨의 사전은 독보적인 존재로서 그 가치를 언제나 인정받고 소중히 간직된다. 이 책은 팩시밀리 초호화 장정 본으로 만들어지기도 하고 또 존슨 생존 시 축소판으로 나온 이후로 근래까지도 축소판이 계속 나와 일반대중에게 보급되고 있다. 이 책은 참으로 글읽기를 좋아하는 이들의 애완품 같은 존재라 할 것이다.

마지막으로 존슨의 최후를 적어 본다. 제임스 보스웰의 기록에 의하면 존슨은 임종이 가까워 오자 의사에게 물었다. 자신이 회복될 수 있는지

곧바로 말해달라고 모든 진실을 감당할 수 있겠느냐는 의사의 질문에 존슨이 긍정으로 답하자 의사가 기적이 없는 한 회복될 수 없을 것이라고 말해주었다. 그러자 존슨이 말했다. "그러면 나는 더 이상 약을 먹지 않겠소 아편제 조차도 먹지 않겠소 내 영혼이 맑은 채 하느님께 바쳐질 수 있도록 해달라고 기도드렸소" 여기서 존슨이 최후의 순간에도 강건함을 잃지 않았음을 본다. 그가 영국문화사에 남긴 유업을 기리어 후세 사람들은 그가 시대를 대표하는 지성이었음을 말하고, 도덕과 종교를 가르친 당당한 스승이었다고 칭송한다. 그는 진정한 크리스천 휴머니스트로 일생을 살았다. 영국인 사후 큰 영예가 되는 웨스트민스터 사원은 그에게 걸맞은 묘역이리라. 그는 그 나라를 빛내는 여러 별들 중 하나이다.

Samuel Johnson's *The History of Rasselas, Prince of Abissinia*

translated into Korean by Hakso Ku

역자 구학서는 연세대, 인디애너대에서 영문학을 읽고
연세대와 덕성여대 영문과에서 수업하였다.

애비시니어 왕자, 래설러스 이야기

발행일 • 2008년 7월 20일
지은이 • 새뮤얼 존슨/옮긴이 • 구학서/발행인 • 이성모/발행처 • 도서출판 동인/등록 • 제1-1599호
주소 • 서울시 종로구 명륜동2가 아남주상복합Ⓐ118호
TEL • (02) 765-7145, 55/FAX • (02) 765-7165/E-mail • dongin60@chol.com
Homepage • donginbook.co.kr

ISBN 978-89-5506-361-5
정 가 15,000원

※잘못 만들어진 책은 교환해드립니다.